José Ángel Mañas
Historias del Kronen

DESTINO

© José Ángel Mañas, 1994
© Ediciones Destino, S. A., 2007
   Avinguda Diagonal, 662, 6.ª planta. 08034 Barcelona (España)

Diseño de la cubierta: Hans Geel
Ilustración de la cubierta: © AGE Fotostock
Primera edición en esta presentación en Colección Booket: febrero de 2006
Segunda impresión: diciembre de 2006
Tercera impresión: diciembre de 2007

Depósito legal: B. 1.222-2008
ISBN: 978-84-233-3797-2
Impresión y encuadernación: Litografía Rosés, S. A.
Printed in Spain - Impreso en España

Biografía

José Ángel Mañas nació en Madrid en 1971. Fue finalista del Premio Nadal en 1994 con su primera novela, *Historias del Kronen*. Ha publicado *Mensaka*, *Soy un escritor frustrado*, *Ciudad rayada*, *Sonko 95*, *Mundo burbuja* y *El caso Karen*. Su obra ha sido traducida a numerosas lenguas.

A mi padre

The sun is high and I'm surrounded by sand.
For as far as my eyes can see
I'm strapped into a rocking chair
With a blanket over my knees
I am a stranger to myself
And nobody knows I'm here
When I looked into my face
It wasn't myself I'd seen
But who I've tried to be.
I'm thinking of things I'd hoped to forget.
I'm choking to death in a sun that never sets.
I clugged up my mind with perpetual grief
and turned all my friends into enemies
and now the past has returned to haunt me.

I'M SCARED OF GOD AND SCARED OF HELL
AND I'M CAVING IN UPON MYSELF
HOW CAN ANYONE KNOW ME
WHEN I DON'T EVEN KNOW MYSELF.

The The: «Giant» (Soul Mining)

I

Me jode ir al Kronen los sábados por la tarde porque está siempre hasta el culo de gente. No hay ni
una puta mesa libre y hace un calor insoportable.
Manolo, que está currando en la barra, suda como
un cerdo. Tiene las pupilas dilatadas y nos da la
mano, al vernos.

—Qué pasa, chavales. ¿Habéis visto el partido,
troncos? —pregunta.

—Una puta mierda de equipo. Del uno al once,
son todos una mierda —dice Roberto.

—Me han jodido el baño en Cibeles, tronco. Si esto
sigue así, acabaré haciéndome del Atleti. A ver, ¿qué
queréis?

Pillamos un mini y unas bravas.

Roberto echa una ojeada a nuestro alrededor para
ver si Pedro ha llegado. Luego, mira su reloj y dice:
joder con el Pedro, desde que tiene novia pasa de
todo el mundo.

—¿Hemos quedado con alguien más? —pregunto.

—Sí. Con Fierro, Raúl y con Yoni.

—¿Quién es Yoni?

—Un amigo de Raúl. Un tío guay, nada que ver

11

con el pesado de Raúl. Allí en Marbella, en Semana Santa, nos lo pasamos de puta madre con él.

Hay una mesa que se ha quedado libre y le digo a Roberto que la pille, rápido, antes de que nos la quiten.

—Joder. Ten cuidado, que casi me tiras el litro.

Nos sentamos.

Pedro llega un poco después.

—Bueno, ¿dónde está tu novia? —pregunto.

—Nada. Silvia hoy no sale.

A Pedro no le mola nada hablar conmigo de su cerda. Está muy enamorado y no le gusta que me ría de él. Por eso cambia de tema en seguida.

—¿Habéis visto al mariconazo de Míchel cómo ha fallado el penalti? Si es que estaba tan acojonado que ni ha levantado la vista. Qué malo es el hijoputa —dice.

—Sí que lo hemos visto. Mientras te esperábamos.

—Ya. Lo siento. Es que estaba con Silvia y no me daba tiempo a llegar a tu casa. Me hubiera perdido medio partido por el camino.

En la mesa de enfrente hay una cerda con una camiseta sin mangas que me está mirando.

—Tú, atontado. Déjame salir, que voy a mear.

Aparto mi silla y dejo salir a Roberto.

Quedamos Pedro y yo solos.

—Carlos, coño, tenemos que hacer algo con Roberto.

—¿Qué le pasa?

—Es la movida de las tías, ya sabes.

—¿Qué pasa con las tías?

—Pues que no puede seguir así. Si no le echamos una mano, es tan tímido que no va a conseguir salir nunca con una piba. Tú lo sabes bien, eres su mejor amigo.

—¿Y a ti qué te importa si sale o no sale con tías? Déjale en paz. Es un problema suyo, no tuyo. El día que Roberto quiera tener una cerda, la tendrá.

—No sé. A mí me preocupa.

—Bah. No le des más vueltas. Roberto es como es y punto. Además, calla, que aquí viene.

Roberto llega, empujando gente, y se sienta. Mientras aparto mi silla para que pueda pasar noto una mano pesada que se apoya en mi hombro.

—Qué pasa, Carlos.

No puedo evitar hacer un movimiento brusco para quitarme la mano de encima.

—Hombre, no te pongas así, que tampoco es para tanto.

—Mira, Raúl, sabes perfectamente que me jode que te apoyes en mi hombro.

—Bueno, bueno, tranquilo, chaval.

Raúl y Fierro dicen que han quedado con Yoni más tarde, en Graf. Yo y Roberto protestamos inmediatamente y dejamos bien claro que nosotros pasamos de ir a Graf. Luego nos ponemos a hablar del partido y Raúl empieza a decir tonterías. Si es que ahí estaban los Boisos Nois, qué hijos de puta, apoyando al Atlético. Lo único que les importa es que pierda el Madrid. No hay más que rencor, y en toda España están igual. En todos lados pasa lo mismo: en el País Vasco, en Cataluña. En Canarias nos llaman godos, en Asturias te tachan Oviedo para escribir Ovieu; hasta una andaluza me dijo el otro día que era la tiranía de Madrid lo que empobrecía Andalucía. Estamos en una situación de preguerracivil. Aquí va a pasar como en Yugoslavia y en Rusia... Roberto finge bostezar y le dice a Raúl que deje de echarnos la charla. Los demás reímos y yo pregunto si alguien quiere beber algo.

—Yo no puedo beber, ya lo sabes.

—Joder, Fierro, eres de lo más antisocial. Tómate al menos una cerveza.

—Que no puedo, de verdad.

—Venga, sólo una cerveza. Seguro que una cerveza no te hace nada.

—Pero déjale al chaval, que no puede beber, que se lo prohíbe el médico.

—Bah, los médicos no saben nada. ¿Tú, Roberto?

—Yo, un Jotabé con cocacola.

—¿Y tú, Raúl?

—Un zumo de tomate.

—¿Sólo un zumo de tomate?

—Sí, nada más.

—¿Tú también eres diabético?

—No, pero no me gusta beber.

—Si bebieras más y pensaras menos, no dirías tantas bobadas.

—Ja,ja,ja. Muy gracioso, Carlos, muy gracioso. No os riáis, que a mí no me hace ninguna gracia. Siempre os estáis metiendo conmigo.

En la barra, el dueño del bar, que es un viejo con pelo blanco, toca la campanilla. Son las doce.

—Habrá que ir pensando en moverse. Voy a darle un toque a éste, a ver si viene —Roberto se acerca a la barra para hablar con Manolo.

Los demás nos levantamos y vamos saliendo.

Roberto se nos incorpora un poco más tarde.

—¿Qué te ha dicho? —le pregunto.

—Que viene, que le esperemos diez minutos mientras se cambia.

—¿Tiene coca?

—No sé, no le he preguntado todavía.

—¿Costo?

—Que no sé. Ya te he dicho que no le he preguntado. No te pongas pesado, Carlos.

Fuera, Fierro y Raúl, que han quedado con Yoni en Graf, se abren en un Doscientoscinco blanco. Fierro baja la ventanilla y dice adiós con la mano.

—No deberías pasarte tanto con Fierro y con Raúl —dice Roberto.

—Pero si no les he dicho nada, ¿de qué vas?

—No te digo hoy, te digo en general.

—Bah, Roberto, no seas blando.

14

Manolo sale del Kronen gritando que nos vayamos ya. Va vestido con pantalones apretados y calcetines blancos, muy maki.

—Bueno, troncos. Vamos de marcha, ¿no? —dice.

Yendo hacia el coche de Roberto, nos encontramos con Nani y Sofi, unas amigas de la facultad. Sofi lleva una minifalda negra y un bodi que hace que sus tetas parezcan más grandes de lo que son en realidad. Tiene un cuerpo bonito, pero es tonta del culo. Además, tiene las piernas zambas.

—Ay, Carlos, no me llames Sofi, que sabes que no me gusta —dice. Luego se pone seria y se mira las piernas muy preocupada.

—¿Qué quiere decir zambas? —pregunta.

—Que están en equis —explica Manolo.

—No les hagas caso, que sólo quieren meterse contigo —dice Pedro.

Sofi sonríe aliviada pero seguro que durante las próximas semanas tendrá un complejo horrible sobre sus piernas.

—Qué malo eres, Carlos —dice, y luego añade—: ¿Queréis que quedemos más tarde en el Siroco?

—¿Dónde está eso? —pregunta Manolo.

—Al final de la calle San Bernardo. Tú lo sabes, ¿no, Roberto? Es la cuarta a la derecha desde los Yinkases. Hemos quedado allí con Raúl y éstos.

—Que sí, Sofi. Nosotros también hemos quedado allí.

—Pues nos vemos como a la una. Y no me llaméis Sofi, por favor.

La voz de Sofi es demasiado aguda y hace daño al oído.

—Venga, vámonos ya —dice Manolo.

Sofi y Nani se despiden y nosotros nos metemos en el Golf de Roberto.

Dentro del coche, Manolo saca una papelina.

—Nos hacemos un nevadito, ¿no? Para empezar bien la noche —dice.

Yo le digo que quiero pillar un par de gramos.

—Antes del fin de semana los tienes, chaval. Me tienes que avisar con un poquito de antelación, tronco.

Manolo guarda la navaja con la que ha cortado la coca y lía el nevadito en la funda de un cigarrillo. Cuando termina, lo enciende.

Roberto baja por Goya hasta Colón, cruza la Castellana, sube hacia Bilbao, se desvía a la izquierda en la Glorieta de Santa Bárbara, sigue por Mejía Lequerica, se mete por Barceló y aparca enfrente de Pachá.

La música que suena en el coche es Metálica y todos berreamos a coro las letras mientras Manolo pone unas rayas.

—Vamos a Malasaña, ¿eh, Roberto?

—No, que Pedro ha quedado con unos de su clase en Bilbao.

—Qué coñazo, tronco. ¿Dónde has quedado, Pedro?

—En Riau-Riau.

Un poco más tarde, Pedro entra en Riau-Riau.

Los demás esperamos fuera. Al cabo de un rato Pedro sale y dice:

—No, no están. Han debido de irse ya.

—¿A qué hora habías quedado?

—Hace una hora.

—Pues nada, se habrán ido. ¿Qué hacemos? ¿Nos quedamos aquí o vamos a otro garito?

—Vamos al Barflais, ¿no, troncos?

—¿Te parece que vayamos al Barflais, Pedro?

—Sí, venga, vamos.

Por el camino, Roberto señala con el dedo a un tipo con pelo largo y bigote, que está apoyado en un coche, rodeado de gente.

—Ése es Pedro Reyes, ¿no le habéis visto? Es Pedro Reyes, os lo prometo. Teníamos que habernos parado a pedirle un autógrafo.

—Pues es verdad que es él —dice Manolo.

El Barflais es un local oscuro donde la gente baila a ritmo de mákina: la música es ensordecedora y el color blanco reluce en la oscuridad.

Pido cuatro güisquis con cocacola en la barra.

—¿Qué güisqui? —pregunta la camarera.

—Jotabé.

Poco después les llevo las copas a los otros y voy al baño. Un tío que sale, pasándose el dedo por la nariz, me mantiene abierta la puerta. Yo entro, echo un meo y suspiro aliviado. Al salir, ojeo el local y compruebo que no hay ninguna cerda que merezca la pena.

Bailamos.

—OYE, CARLOS, ¿QUÉ TAL ESTÁS?

Me doy la vuelta y me encuentro con Elena. Sonrío, a pesar de que no me hace mucha ilusión verla.

—¡CUÁNTO TIEMPO SIN VERTE! ¿CÓMO ESTÁS? ¿QUÉ HACES AQUÍ?

Le doy dos besos y le digo que qué tal.

—¿QUÉ?

—QUE QUÉ TAL ESTÁS.

—AY, NO GRITES ASÍ...

—NO ME ESCUPAS AL OÍDO.

—¿QUÉ?

—NADA.

—PUES ESTOY AQUÍ CON UNA GENTE DE MI CLASE, DE LA FACULTAD, YA SABES. PERO OYE, NO SABÍA QUE ESTUVIERAS EN MADRID. HACE CASI UN AÑO QUE NO TE VEO. DESDE SANTANDER... YA LO SÉ, YA. HACE POCO ESTUVE CON ÉL Y SIGUE COMO SIEMPRE, COMPLETAMENTE PASIVO. HAY QUE HACERLE TODO, TODOS LOS CHISTES, TODAS LAS GRACIAS PARA QUE SE ANIME Y YO, MÁS DE UNA SEMANA, ME HARTO...

Elena está algo borracha y yo tengo el pulso acelerado por la coca. Hablamos los dos al mismo tiempo. Yo apenas oigo lo que me dice porque la música está altísima. Detrás de ella, un par de pseudo-pijos de facultad con camisas a rayas nos miran. Tienen cara de hambre.

—¿QUIÉNES SON ÉSOS?

—¿QUIÉNES?

—ÉSOS.

—DE MI CLASE.

—¿QUÉ?

Alguien me toca el hombro. Me doy la vuelta y Roberto me pasa otra copa.

—QUE YA VAMOS POR EL SEGUNDO —dice.

Elena tiene una cara bonita pero ha engordado desde la última vez que la vi. Es una pena porque me dan asco las gordas.

Le cuento algo sobre cómo ha perdido el Madrid y ella se ríe. Dice: SÍ, YA ME CONTARON TU MOVIDA EN SANTANDER, y me pregunta por el tío que me dio de hostias el verano pasado.

—UN HIJO DE PUTA GORDO Y FEO, HIJO DE MILITAR. SI ESTABA YO CON JULIÁN EN...

—¿CON JULIÁN EL VASCO?

—SÍ, CON JULIÁN. ENTONCES ESE TIPO ME AGARRA DEL BRAZO Y ME DICE QUE SALGA CON ÉL...

—HABÍA VISTO MUCHAS PELÍCULAS.

—...Y ME DICE QUE SI DE VERDAD PIENSO QUE LA MILI ES UNA CACA...

—VAMOS, PERO A QUIÉN SE LE OCURRE IR CON UNA CAMISETA DE MILIKAKA EN UN SITIO DE FACHAS...

—BUENO, PUES JULIÁN Y YO LE DECIMOS QUE SÍ Y EL TÍO QUE AGARRA Y DICE: «PUES TÚ Y YO NOS TENEMOS QUE PEGAR», Y COGE Y LE DA UN CABEZAZO A JULIÁN. Y YO QUE ME ENCUENTRO CON ESTE MONSTRUO GORDO Y PELUDO, CON LOS PUÑOS CERRADOS, QUE ME MIRA ENSEÑANDO LOS DIENTES Y QUE ME INTENTA DAR UN CABEZAZO A MÍ TAMBIÉN...

—¡QUÉ CABRONAZO!

—EN FIN, QUE AL FINAL SOY YO QUIEN LE DA UN PUÑE-
TAZO Y EL HIJOPUTA DEL GORDO, CARAPOLLA CREO QUE SE
LLAMABA, UN GOMINOLO ASQUEROSO CON EL PELO LLENO
DE LEFA...

—YO ESTE AÑO ME VOY A IR A SAN SEBASTIÁN...

—PUES EL TÍO COGE Y SE CAE Y QUEDA MEDIO INCONS-
CIENTE, Y ENTONCES...

Roberto me trae otro güisqui.

—BEBE MÁS Y HABLA MENOS —dice.

Elena sonríe mientras le cuento cómo me arras-
traron por el suelo, pegándome patadas, cómo uno
quiso atizarme con una sombrilla y cómo el gordo,
que se había levantado una vez que todo había pasado, atravesó la calle corriendo hacia donde estaba
yo sentado en el bordillo de la acera, y me dio una
patada en la cara que casi me salta un ojo.

Elena me dice algo.

—¿QUÉ?

—QUE SI NOS SENTAMOS ALLÍ, QUE ESTAREMOS MÁS
TRANQUILOS.

—SÍ, VEN QUE TE PRESENTE A MIS AMIGOS.

Me acerco con ella hasta donde están los otros
apoyados en la barra. Hay una nueva ronda de güisquis esperando.

—A ESTA RONDA NOS HA INVITADO LA CAMARERA, QUE
ES MUY MAJA —dice Roberto—. BEBE MÁS APRISA.

Yo les presento a Elena, que les da a todos dos
besos.

Unos minutos más tarde, los otros salen, obligándome a beberme la copa de un trago. Yo me despido
de Elena y no puedo evitar darle un buen lengüetazo
antes de irme. Fuera, Roberto me pregunta quién
era ésa y yo le digo que nadie, una gorda.

En el coche, Manolo corta unas rayas con su navaja y yo me hago un porro.

—Venga, vamos al Dos de Mayo —dice Roberto.

Bajamos por la cuesta de la Vía Láctea hasta la Plaza del Dos de Mayo. Miro el reloj: son las dos y veinte. Dos yonquis nos ofrecen costo, costo muy rico, jaco, jaco, chocolate.

La plaza está bien iluminada. Hay terrazas y los niños juegan al fútbol alrededor de las estatuas de Velarde y Daoíz. Pasado el chiringuito de los yonquis, nos sentamos en un banco y Manolo empieza a rular.

—Vamos a movernos, ¿no? Son casi las tres. No nos vamos a quedar aquí pasmados.

—Deja que rule un mai, ¿no?, que acabamos de sentarnos.

—Hey, que hemos quedado con éstos en el Siroco. ¿Cómo hacemos?

—Yo creo que, ya que se lo hemos dicho, deberíamos ir.

—Bah, Pedro, siempre estás igual. Desde que vas con esa cerda, te has vuelto insoportablemente responsable.

—No llames cerda a mi novia, Carlos. Se llama Silvia.

—Bah, Silvia o no Silvia, es una cerda como todas.

—No lo digas otra vez, que me puedo cabrear.

—Hala, tranquilos los dos. Yo, si os digo la verdad, tronco, no me hace nada el rollo de la Sofía, el Raúl y compañía...

—Yo estoy con Manolo. Venga, votaciones. ¿Quién quiere ir al Siroco? Pedro, sí, yo y Manolo, no... Tú, Roberto, ¿qué decides?

—A mí me es igual.

—Pues ya está. Decidido. Vamos al Jaque Mate que está más cerca... Pásame el mechero, que esto no tira.

—Venga, vamos.

Nos levantamos.

Según nos vamos, vemos un mocoso que viene corriendo detrás de una pelota. ¡Aquí!, ¡aquí! Le doy una patada al balón, mandándolo a tomar por culo. El enano grita: ¡gilipollas!, y me saca la lengua.

Roberto y Manolo se ríen.

—Venga, tronco, vamos.

El Jaque Mate está cerrado porque el edificio entero está en obras, lleno de andamios que cubren toda la fachada.

Parados delante de la puerta, Roberto se cruza de brazos y yo chasqueo la lengua.

—¿Qué hacemos? —pregunto.

—Podemos ir al Siroco —dice Pedro, pero yo comienzo a subir por los andamios y grito:

—¡Seguidme!, ¡a que no hay cojones!

Roberto y Manolo me siguen. Pedro se queda abajo. Llegamos sin mucha dificultad hasta un quinto piso derruido y entramos por una ventana rota. Yo miro abajo y veo a Pedro que agita los brazos. Le grito algo y creo que se ha picado porque empieza a subir, murmurando algo.

—Estáis locos, completamente locos.

—Pedro, tronco, eres un pesado, siempre agobiando. Venga, siéntate.

—¿Os imagináis que se derrumba el edificio y quedamos atrapados aquí?

—Bah, otro más, tronco. El Roberto siempre pensando en lo más negro. Que no va a pasar nada, tronco, nada en absoluto. Sentaros. Ahora lo que fliparía es tener algo de música, algo de Leño o de La Banda. Uah, tronco, eso sí que sería acojonante.

—Menuda mierda de música.

—Cómo que mierda. Son de puta madre. ¿A ti qué te gusta?

—Al Carlos lo que le mola ahora es Dedé. Está obsesionado. Se ha pasado un mes oyendo el mismo disco y no se cansa.

—¿Te molesta?

—No, qué va. A mí me es igual.

—Qué coñazo oír siempre lo mismo, tronco. Eso sí que es un coñazo.

—¿A ti qué te importa?, déjame en paz.

—Pues no te metas tú con mi música, tronco.

—Oye, podemos dejar de discutir tonterías y bajar de una vez, ¿no os parece?

—Cuidado, Pedro. Por ahí no, que hay un agujero en el suelo.

—No habérselo dicho. Así baja más rápido y deja de agobiar.

—Muy gracioso, Carlos. Últimamente estás cada día más gracioso.

—Tú lo que pasa es que eres un aguafiestas. Venga, vamos abajo, que me voy a poner nervioso.

—Esperad, troncos. Mato esto y bajamos. Esperadme, coño, que siempre me dejáis atrás, que estoy harto de veros el culo.

—¡Carrera bajando, Manolo!

Tardamos muy poco en bajar hasta el suelo.

Discutimos dónde ir y decidimos ir al Agapo, que está en la calle de la Madera.

En el Agapo tomamos un par de rondas. Hay gente a mi alrededor, pero he desconectado con la realidad. Lo que más me gusta del Agapo son los colores psicodélicos de los muros y la jaula del pinchadiscos. Los ventiladores están pintados en espiral y me vuelven loco. Mirándolos, pienso que el próximo tripi que pille tendré que venir aquí a contemplarlos.

El tiempo pasa y son las cinco.

Estamos los cuatro sentados alrededor del billar. El billar es una mierda y está desnivelado, pero siempre hay algún pardillo que echa una partida. Los de hoy son especialmente malos.

Al cabo de un rato, Roberto me dice algo.

22

—¿QUÉ?

—NO TE MOSQUEES. QUE SI VAMOS A JAMAR A UN SE-
VEN.

—VENGA.

Manolo quiere tomar una última copa a medias,
pero yo ya estoy cansado y le digo que paso.

Salimos y nos dirigimos al coche.

—Vamos a pasar por un Seven Ileven —dice Manolo.

Dentro del coche ponemos bakalao a tope.

—¿QUÉ? —le grito a Manolo, asomando la cabeza
entre los dos asientos delanteros.

—¡QUE VAMOS A PASAR POR UN PUTO SEVEN ILEVEN A
PAPEAR ALGO!

Manolo lleva puestas gafas de sol y me escupe al
gritar.

Aparcamos enfrente del Seven Ileven de Mejía Lequerica y entramos. Hay mucha gente haciendo cola
para pagar. No sé cómo, tropiezo con alguien y me
caigo sobre un estante, arrastrando conmigo latas
de paté, pan Bimbo y cajas de tostadas. Uno de los
gorilas de seguridad viene, me agarra por el brazo y
me saca a la calle.

—Vete a tu casa, chaval, que estás borracho
—dice, empujándome.

Me caigo entre dos coches pero no me hago daño
aunque, al restregarme la nariz con la mano, noto
que me sangra. Me quedo unos instantes mirando la
mano y me asombro de lo poco real que es el color
de la sangre. Es como si estuviera viendo una mala
película.

Roberto me ayuda a levantarme.

—¡DÉJAME EN PAZ! ¡DEJA QUE ANDE SOLO!

Roberto murmura algo. Yo me incorporo.

Dentro del coche, me limpio la nariz con unos Klínex y me como los panecillos con paté que Manolo
va untando con la navaja.

Alguien sugiere que vayamos a pillar putas a Capitán Haya. Yo grito que sí, aunque la música ahoga mi voz.

—¡VAMOS A PILLAR PUTAS!

—ESO, TRONCO, VAMOS A PILLAR PUTAS, ROBERTO. VAMOS A VACILARLAS.

Pedro protesta algo y yo grito:

—¡PUTAS! ¡QUIERO PUTAS!

Creo que estamos en la Castellana, aunque no veo muy bien por dónde vamos porque me cuesta trabajo levantar la cabeza. Ahora torcemos por Cuzco y nos metemos por Capitán Haya.

—AHÍ HAY TRES —dice Manolo—. FRENA, ROBERTO, FRENA.

El coche frena. Manolo baja la ventanilla.

—¿Cuánto cobráis por los cuatro, chavalitas?

Una voz de mujer dice: ¿qué queréis?, ¿un completo?, ¿un francés? Si queréis un francés, os lo hago por tres mil cada uno.

—¿Tres mil por una mamada que casi me puedo hacer yo, tronca? Anda ya. Arranca, Roberto, arranca.

El coche arranca y yo levanto un poco la cabeza.

—YO QUIERO QUE ME HAGAN UNA MAMADA —digo.

—PERO SI ESTÁS TAN BORRACHO QUE NO SE TE VA A PONER DURA NI A HOSTIAS —dice Manolo.

—Podríamos buscarnos un travelo —dice Roberto.

—Yo, tronco, paso de que me toque el rabo un tío, eso os lo dejo bien claro.

Pedro dice algo de su novia.

—Pero, vamos a ver: ¿tenéis o no tenéis pelas? —pregunta Manolo.

Roberto todavía da otra vuelta a la manzana mientras Manolo insulta a las putas.

—Bueno, ya son las siete y a mí me apetece entrar a kelo —dice Roberto.

—Si tuviéramos algo más de coca, podríamos ir a bailar un poco en alguna discoteca —dice Manolo.

Yo no digo nada porque la cabeza me da vueltas.

Fuera, ya es de día y, al pasar por Plaza de Castilla, vemos la silueta gris de las dos torres inclinadas que están construyendo. Hay luces, lo que quiere decir que los obreros ya están trabajando.

Roberto baja por la Castellana y sube por María de Molina hasta Francisco Silvela, donde he dejado el coche, enfrente del Kronen.

—Bueno, ya es hora de pillar la horizontal —dice.

Yo miro el reloj: son las ocho.

—Vamos a pillar algo más de marchilla, ¿no?, o al menos unos chocolates con churros —dice Manolo.

Yo no contesto, pero Pedro y Roberto están cansados y quieren irse a dormir.

—Pues venga, Carlos, vamos tú y yo solos, y estos pasmados que se vayan a la cama. ¿Puedes conducir todavía, tronco?

Levanto la cabeza y salgo del coche tambaleándome.

—Me voy a casa —digo, y ando hacia el Golf blanco de mi madre, que está aparcado unos metros más allá.

—¡Ten cuidado!

Saco las llaves de mi bolsillo y abro la puerta del Golf con cierta dificultad. Dentro, pongo la música a tope.

Arranco, pillo Avenida de América y salgo a la Emetreinta. Estoy yendo a ciento cuarenta, casi ciento cincuenta, pero hay coches que me adelantan a más de ciento sesenta.

Todos llevan la música a tope.

Entro en la Moraleja por la primera vía de servicio. En casa, aparco detrás del coche del viejo. Es de día y, como no tengo llaves, tengo que dar la vuelta a la casa y entrar por el jardín.

Al saltar la verja me caigo entre las arizónicas del

25

seto. Me arrastro a cuatro patas hasta la puerta. La abro.

La perra ladra y tengo que apaciguarla. La acaricio.

La filipina ya está levantada. Dice: «buinos días».

En mi cuarto, me quito las botas y los pantalones. Luego voy a la cocina a por un cartón de Solán de Cabras.

Un poco más tarde, estoy metido en la cama, pero sé que tardaré un poco en dormirme por culpa de la coca. Bebo un poco de agua y cierro los ojos.

Todo da vueltas.

II

—CARLOS. DESPIÉRTATE, QUE SON LAS DOS.

Abro los ojos con cierta dificultad y contesto con un gruñido.

—SÍ, SÍ, SIEMPRE AHORA VOY, AHORA VOY, PERO HASTA QUE NO SE OS SACA DE LA CAMA, NADA.

Mi madre levanta las persianas de mi cuarto.

—DESPIERTA YA, ¡AHORA!, ¿ME ENTIENDES?

La vieja me arranca la almohada de entre los brazos.

—Estoy en VERANO —protesto. Este año no me ha quedado ninguna para septiembre. No tengo NADA que hacer durante tres meses.

La vieja sale de la habitación y yo vuelvo a cerrar los ojos. Tengo algo de clavo y no puedo recordar con mucha nitidez qué pasó la noche anterior. Sólo me han quedado algunas imágenes inconexas sin ninguna relación clara entre ellas. Recuerdo la escena de las putas y sonrío. Luego, con un esfuerzo, abro los ojos, consigo levantarme y me arrastro hasta el cuarto de baño.

—¡Y ORDENA TU HABITACIÓN!

Me siento en el váter y echo una pesa ligeramente descompuesta.

Nadie habla durante la comida porque estamos todos viendo el telediario.

Parece ser que Mitterrand se ha ido a Serbia, donde la ONU ha abierto un aeropuerto, y que los americanos van a intervenir. Para mí que debieran dejarles matarse entre ellos. El telediario, sin guerras, no sería lo mismo: sería como un circo romano sin gladiadores. Ahora sale Pujol haciendo unas declaraciones en catalán.

Cuando termina la comida, los viejos se van a dormir una siesta.

—Si llama alguien, estamos durmiendo —dice el viejo.

Yo también decido echarme una siesta.

Una vez tumbado en la cama, me hago una paja pensando en Amalia y duermo un par de horas. Tengo la cabeza muy cargada.

Al despertar, me siento mucho mejor y pongo el compact de Dedé. Lo escucho un rato hasta que mi padre abre la puerta, en pijama, y grita:

—¡Coño, Carlos! ¡Ten un poco de consideración con los demás, que todavía estamos en la cama! ¡Baja un poco la música!

Me levanto de mala gana, quito el compact y me pongo los cascos.

Poco después, la fili entra y dice algo. Debe de ser el teléfono. Le doy al estop y pregunto:

—¿Quién es, Tina?

—Es Ribeca.

Me quito los auriculares.

En el salón, le digo al enano que baje el volumen de la tele mientras hablo por teléfono.

¿Sí? ¿Quién es?... Hola, Carlos, que soy yo. Ya puedes irte viniendo para mi casa porque ya estoy buenísima y tengo unas ganas locas de tocarte la polla, ¿me oyes, mi niño?... Sí... Pues vente esta misma tarde... No sé si... No, no sé, no, que hace casi un mes que no te veo y que no follo, ¿te vienes o no te vienes, mi niño?... Sí, sí. Me pasaré por tu casa como a las ocho... Y puedes traerme algo de costo, ¿eh, mi niño?... Haré lo que pueda... Pues te espero, que hoy estoy de lo más cachonda. No me ha quedado ninguna cicatriz, ya verás, Carlos.

Cuelgo.

Llamo ahora a Miguel, pero su madre me dice que está en Cercedilla y que no baja hasta el lunes.

Llamo después a Rodrigo, que es un camello de la Moraleja, y quedo con él a las siete y media.

También llamo a Roberto para comentar el ciego del día anterior y, de paso, le pregunto si sabe algo de Miguel: ...Está con su novia en Cercedilla... ¿Sabes si tiene costo?... Me ha dicho que mañana va a pillar doscientos gramos. Me tiene que llamar para que le dé las pelas... Dile que me pille a mí también, ¿vale?... Yo se lo digo en cuanto me llame... Si queréis, os acompaño a pillar... No, no hace falta, Carlos, Miguel siempre va solo. Dice que al Niñas no le gusta que vaya nadie que no conozca porque ahora están las cosas muy chungas, sobre todo desde que está el Matanzo... Cada vez somos más europeos... Ya ves... Bueno, Roberto, llámame en cuanto hables con Miguel, ¿vale?... Sí, pero espera, ¿qué vas a hacer esta tarde?... He quedado con Rebeca... ¿Con la yonqui esa?... Sí, con ésa... En ese caso, supongo que hoy no te veré... No creo, no... Pues entonces hasta mañana, y ten cuidado con el Sida... Hasta mañana, Roberto.

Cuelgo.

—¡YA ERA HORA! —dice mi hermana.

Le digo que no me grite, que tengo dolor de cabeza.

—¡YA!, ¡LA RESACA! ASÍ TE GASTAS EL DINERO DE MAMÁ Y PAPÁ, EN COPAS!

Me voy sin hacerle demasiado caso. La gorda siempre está igual.

En el salón pongo el vídeo.

Jenriretratodeunasesino es mi película favorita.

La película está ya empezada: Jenri y Otis se han ido a comprar una televisión. El dueño de la tienda está a punto de echar el cierre, pero les deja entrar y les recomienda televisiones hasta que, cansado de tanta indecisión, les pregunta cuánto dinero tienen. Jenri le clava un destornillador en la mano y empieza a acuchillarle mientras Otis, riendo, le estrangula con un cable. Luego, cogen la televisión más cara y una cámara de vídeo, y se las llevan a casa. Desde entonces, se dedican, en su tiempo libre, a filmar sus matanzas. Esto dura hasta que, un día, Jenri vuelve a casa y ve a Otis violando a su hermana. La cerda está gritando, con el vestido desgarrado. Otis, encima de ella, tiene los pantalones bajados. Jenri se pelea con Otis; la cerda coge un peine y se lo clava a Otis en el ojo. Jenri, con el mismo peine, termina de rematarle, calma el histerismo de la cerda y le dice que le deje pensar. ¿Qué vamos a hacer?, ¿qué vamos a hacer?, grita la cerda. Jenri mete el cuerpo de Otis en la bañera, lo corta en pedazos con una sierra y lo mete en una bolsa de basura. En la escena siguiente, él y la cerda entran en el coche, se paran en un puente y tiran la bolsa de basura al río. La hermana de Otis, que está enamorada de Jenri, le pregunta qué van a hacer ahora. Jenri dice que su familia tiene un rancho en California donde pueden vivir tranquilos. En la radio suena una canción que los subtítulos traducen como: te enamoraste del hombre equivocado. Los dos llegan a un motel. Por la noche, Jenri, antes de apagar la luz, dice que deben acostarse ya porque al día siguiente tienen que levantarse temprano. La escena cambia: por la mañana, Jenri sale solo del motel, con una maleta en la mano, y se mete en el coche. Después de conducir un rato, se para en el campo, abre el maletero, saca la maleta y la tira en una zanja. La película termina con la toma del coche de Jenri que se aleja mientras una voz en off dice: ¡te mataré!

Mi hermana entra en el salón y dice que me llaman por teléfono. Pregunto quién es.

—Rebeca.

—Dile que no estoy.

—Jo, Carlos, no seas cabrón. Estoy harta de mentirle a la gente por ti. Yo no le voy a decir que no estás.

—Pues yo no me voy a poner —digo mientras rebobino la película. Quiero volver a ver la escena en la que Otis viola a su hermana.

Cuando termina la escena apago el vídeo y me voy a duchar.

A las siete y veinte paso por la casa de Rodrigo y le pillo seis gramos. Luego paso por la gasolinera de la Moraleja y le echo quinientas pelas al coche, lo justo para que mañana no quede ni una gota y mi hermana tenga que llenar el depósito.

Pillo la Emetreinta y entro por Plaza de Castilla. La Castellana está más o menos bien hasta el Corte Inglés. Tardo media hora en llegar a la Glorieta de Cuatro Caminos y comienzo a estresarme. Un peseto se para delante de mí, obligándome a pegar un frenazo. Pito con mala hostia y el taxista me hace un gesto obsceno con la mano.

Rebeca vive en Cea Bermúdez, en casa de su vieja.

Aparco en un paso de cebra frente a su portal y llamo al telefonillo. La voz de Rebeca, algo ronca, pregunta: ¿quién es? La puerta se abre.

Dentro, el portero me pregunta a dónde voy. Le contesto en el tono más desagradable posible y me meto en el ascensor.

Subo hasta el quinto piso.

Rebeca me abre la puerta.

—Mírame. ¿Has visto? No me queda ni una marca. Dame un beso, mi niño. ¿Me has traído algo?

Saco la piedra del bolsillo y se la doy.

—Pasa al salón. He alquilado una película cojonuda. ¿Te gustan estas bragas moras que me compré en Marruecos?

Rebeca está descalza. Lleva puestas bragas moras y una camiseta rota recortada por encima del ombligo. Su rostro, algo amarillento, tiene más arrugas en torno a los ojos que la última vez que la vi. En el vientre, asomando debajo de la camiseta, tiene un tatuaje: una serpiente que le sale del pubis.

En el salón, Rebeca rula un porro.

—¿Te gusta Lanaranjamecánica? —pregunta.

Yo le digo que es una de mis películas preferidas, un clásico de la violencia. Mi escena favorita es cuando Alex y sus amigos están violando a la mujer del escritor. Alex corta con tijeras el traje rojo de la cerda mientras los otros sujetan al escritor, obligándole a mirar. Alex está cantando Aimsingininderein y le da patadas al compás de la música.

Rebeca sonríe y dice:

—¿Te gusta eso, eh?

Rebeca va a poner el vídeo, pero los lloriqueos de su hijo la distraen.

—Joder con el cabrón. Ya se ha despertado —dice frunciendo el ceño. Me pasa el porro y sale de la habitación.

En la tele hay una entrevista con Bibi Andersen.

Rebeca vuelve a entrar con el bebé en brazos. Mira la tele y dice algo de una generación de los ochenta, Almodóvar, la movida, Alaska, la Tripulación y las tonterías de siempre... Luego, se sienta en el sofá.

—Mira, Yan, mira, cabrón. Éste se llama Carlos. Es un amigo. Salúdale, salúdale. Di: hola Carlos, hola Carlos...

Yan mira al techo.

—Es curioso que no le gustes a Yan. En general le caen bien todos mis amigos.

—A mí tampoco me gustan los niños.

—Bueno, mi vida, no te pongas así. Venga, Yan, vamos a dormir.

Rebeca lleva el bebé a su cuarto. Cuando vuelve, me pregunta si quiero beber algo. Sí, güisqui.

La película comienza con un primer plano del ojo con pestañas postizas de Alex. La cámara se aleja poco a poco hasta que se ve a Alex con sus tres groguis sentados en un bar futurista. Los cuatro están vestidos igual: llevan monos blancos con coquillas de plástico por fuera del traje. Alex sujeta una porra negra y mira fijamente a la cámara.

Rebeca entra con una botella de Passport y dos vasos. Deja la botella en la mesa y, al sentarse, se derrama un poco de güisqui sobre su pierna.

—Mierda —dice.

Yo me acerco a su rodilla y paso la lengua por donde ha caído el güisqui. Luego, mientras ella me acaricia el pelo, le quito las bragas moras y le beso los muslos hasta que llego a la entrepierna. Separando con la lengua los labios del sexo, le lamo el clítoris. Las piernas de Rebeca están ahora abiertas y en tensión, sus pies apoyados sobre mis hombros. Mi mano izquierda, pasando por encima del vientre, mantiene bien abiertos los labios vaginales entre los que se mueve mi lengua mientras le meto los dedos de mi mano derecha en el coño y en el culo. El vientre de Rebeca comienza a contraerse y la cerda se corre. Grita: sigue, sigue, sigue, cabrón, me agarra de los pelos y aplasta mi rostro contra su coño. Cuando me incorporo, me limpio la cara con la camiseta. Rebeca está jadeando sobre el sofá y su vientre todavía se contrae un par de veces.

Algo más tarde, ella me quita la camiseta y me desabrocha los pantalones.

—Ahora te toca a ti, mi niño —dice.

Intento ver la película un rato (Alex y sus colegas se están pegando con otra banda en el escenario de un teatro vacío), pero Rebeca me dice que cierre los ojos. Me come la polla hasta que me empalmo, me pone un condón y me ayuda a quitarme las botas.

—Ven. Vamos a follar en el suelo —dice.

Poco después, estamos los dos desnudos en el suelo. Rebeca, en cuclillas encima de mí, me acaricia los huevos con la mano. Cuando cambiamos y yo me pongo encima de ella, me clava las uñas en los brazos y grita: más fuerte, más fuerte. Yo levanto sus piernas hasta apoyarlas en mis hombros y la penetro lo más profundamente que puedo. Ella me coge de los pelos y, con los ojos cerrados, se muerde los labios gritando: así, así, ah, ah, me voy a correr, me voy a correr, me corro, me corro, me estoy corriendo. Sudando, mantengo el ritmo hasta que Rebeca deja de gemir, dice, para, para, y me mira sonriendo. Yo le indico que se dé la vuelta. No, Carlos, que tengo que descansar un poco, que ahora hace daño. No, por ahí no, de ninguna manera, que no me apetece. No, mi niño. Ay, qué cabrón eres, qué cabrón, al menos ten cuidado, ten cuidado, joder. No tan rápido mi vida, ah, que me haces daño, me estás haciendo daño, joder ten cuidado, ah, ah, ah. Hijo de puta, cabrón. Ah, ah, ah, no tan rápido, mi vida, que me haces daño, hijo de puta, hijo de puta. Cuando estoy a punto de correrme, me doy cuenta de que la película ha llegado a mi escena preferida. Alex está violando a la mujer del escritor. Rebeca gime debajo mío y el orgasmo es bastante prolongado. Me quedo todavía unos instantes dentro de ella y luego saco mi miembro bruscamente. Ay, ten cuidado al salir. Hijo de puta, espero que te haya gustado. Rebeca refunfuña un poco, pero yo ya estoy viendo la película y no la hago mucho caso. Si hasta he sangrado un poco, espero que al menos tu condón no se haya roto. Alex ha entrado en la casa de la veterinaria de gatos. En

la sala en la que están, hay varias esculturas de pollas. Una, en especial, es inmensa. Alex la coge y se
acerca a la veterinaria sonriendo. La cerda tropieza,
cae al suelo. Alex la golpea en la cara con la polla
gigante. Me has hecho daño, ¿sabes? Otra vez lo hacemos a mi ritmo y como yo diga. ¿Me oyes? Alex
sale de la casa y sus amigos, que le están esperando
fuera, le rompen una botella en la cara. Alex cae al
suelo llorando, se tapa la cara ensangrentada y grita: ¡traidores! Una sirena de fondo anuncia que la
policía está a punto de llegar.

—Yan está llorando, ¿quieres ir tú a calmarle?

—No. Es tu hijo, es tu problema. Cálmale tú.

Rebeca sale de la habitación murmurando algo.
Yo rulo un porro y miro las fotos del salón. Hay una
de Rebeca más joven, en cuclillas, con botas altas y
chaqueta vaquera sin mangas. En otra, un tío sonríe
estúpidamente.

—Es el padre de Yan —dice Rebeca, que acaba de
entrar.

—¿Por qué le pusiste un nombre tan exótico?

—Soy budista.

Rebeca tiene en su habitación un Buda pequeñito
rodeado de velas y de fotos de un viejo que se parece
al chino de Karate Kid.

Rebeca se viste.

—Sabes. A lo mejor me voy a Italia, a un monaste-
rio budista —dice.

—Bah, eso del budismo es algo ya un poco pasado,
¿no? Apesta a jipismo y a sesentayochismo.

—¿Y tú qué sabrás de eso? Si eres un crío. ¿Qué
sabes tú de la vida? Yo me marché de casa a los die-
ciocho años y he estado arrastrándome por muchos
sitios durante seis años, mientras que tú estabas
tranquilito en la casita de tus viejos. No te puedes ni
imaginar lo que es no tener ni un duro, tener que buscar un sitio para dormir, meterse en un bar asqueroso para liarse con un tío, para buscar un techo...

—Y luego vuelves a casa de mamá con un bebé para que te lo cuide tu vieja.

Rebeca se muerde los labios. Dice:

—Mira, prefiero no hablar de estos temas contigo, mi niño. No comprendes nada. No tienes ni puta idea de lo que es la vida. No sé para qué te sirve la universidad. A ti lo que te hace falta es pasar un poco de hambre, privaciones, mi niño, y así te darías cuenta de lo que valen las cosas.

—A ver. Ya que no lo entiendo, explícame tú qué es eso del budismo.

—Para mí tiene mucho que ver con las drogas. Esto no es lo que dice mi maestro, pero tú, como eres occidental, no lo comprenderías de otra manera, mi niño. La meditación budista es algo así como estar muy puesto de tripi. ¿Has probado alguna vez un tripi? Pues lo que pretende un budista a través de la meditación es llegar a dejar la mente en blanco, completamente en blanco, sin pensar nada, ¿me entiendes, mi niño? Para llegar a ese momento se tira muchos, muchos años entrenándose en la meditación, en la concentración, y ese momento, mi niño, es el Nirvana. El Nirvana, no sé si lo entiendes. En ese momento, el budista ha conseguido olvidarse de sí mismo, olvidarse de su yo y eliminar las barreras psíquicas que le separan del universo. En ese momento, mi vida, el budista se siente parte de todo el universo, lo siente todo dentro de sí...

—¿Y el tripi?

—El tripi es el camino corto al mismo estado, una especie de atajo artificial. Cuando has tomado el suficiente ácido puedes llegar a olvidarte de ti mismo, a olvidar tu nombre y tener que preguntarte quién eres, qué haces en este lugar y en este momento. Pero, mi niño, la gente no suele estar preparada para llegar a este estado y es entonces cuando se tiene un mal viaje. Te pones nervioso, intentas recordar quién eres, pero no puedes. No puedes, mi vida, porque el ácido no lo puedes parar, no puedes decir: ahora no. Pero no te metas en drogas, mi niño. Las drogas te dejan muy débil. Ya me ves a mí, que atrapo ahora, a mi edad, la varicela.

—Pero luego no te privas de meterte picos con tus colegas.

—Eso es cosa mía. Además, ¿quién te ha dicho que yo me pique?

Rebeca se está poniendo pesada, así que decido irme.

Me pongo las botas y busco mi camiseta.

—¿Te vas?

—...

—Pues vete, anda. Y no vuelvas más.

Salgo al descansillo y llamo al ascensor.

—Hey, pero nos vemos el miércoles, ¿no?, ¿eh, mi niño? El miércoles se va mi madre de viaje...

Las puertas del ascensor se cierran.

III

Al día siguiente, me levanto a la una y le digo a la fili que me ponga el desayuno. Unos minutos después suena el teléfono.

—Si es Rebeca, dile que no estoy, que he salido —digo.

—No, no istá, ha salido... Sí, ha salido... Salido. No sé.

Termino de desayunar y salgo a la piscina.

Me tumbo al sol, me pongo los cascos y duermo un poco. Luego me hago un par de largos, me seco, entro de nuevo en casa y le pregunto a la filipina si ha llamado alguien mientras he estado en la piscina.

Son las dos y media.

—Sí, ha llamado Ribeca y Robirto.

—¿Alguien más?

—No, nadie, nadie.

Estoy esperando que llame Amalia, que llega hoy. Supongo que llamará más tarde.

Durante la comida, la gorda me recuerda que hoy es el cumpleaños del viejo y que habrá que regalarle algo. Como cada año, decidimos comprarle unos libros de poesía y quedamos para ir a Hiperión por la tarde.

—Pero antes tenemos que ir a pasar la Iteuve, ¿eh, Carlos?

Se me había olvidado que hoy tenemos que pasar la puta Iteuve del escarabajo.

—¿No me preguntas qué tal mi examen?

—¿Qué tal te ha salido? —pregunto.

—Pues no me ha salido mal, pero tampoco muy bien. Elena y yo lo llevábamos estudiado a pachas y nos han separado nada más empezar, así que, por ejemplo, yo de psicología no tenía ni idea, pero bueno, más o menos, creo que lo he aprobado.

Comento que no sabía que Elena estuviera en su clase.

—No, Elena la de Santander, no, tonto, ésa no. Otra que vive en la Moraleja.

Suena el teléfono y tengo la desagradable impresión de que sé quién va a ser.

—Lo cojo yo —digo.

—Bueno, Carlos, voy abajo un momento, pero nos vemos ahora para lo de la Iteuve y lo del regalo de papá. Ah, y a las nueve y media hemos quedado para cenar, no te olvides, así que no quedes con nadie.

¿Sí?... Hola, Carlos, ¿qué tal?... Bien... Te llamo porque no me quedé muy a gusto después de ayer... ( )... Bueno, Carlos, siento que nos pusiéramos así de nerviosos, tampoco quería decirte que te fueras... Ya... En fin, que si podemos vernos, era lo que quería decirte... ( )... No estás enfadado conmigo, ¿no?... No, ¿por qué iba a estarlo?... ¿De verdad?... Claro que no... Bueno, mi niño, pues te espero entonces el miércoles como habíamos dicho, ¿eh? Hala, un beso, mi vida.

Cuelgo.

Llamo a Roberto.

¿Sí?... ¿Está Roberto, por favor?... Sí, un momento... ... ¿Sí?... Oye, Roberto, qué pasa, soy Carlos...

Qué pasa, Carlos... Me has llamado antes, ¿no?...
Sí... Pues cuéntame... Es por si sabes algo de Miguel... No, yo no sé nada... ¿No te ha llamado?...
Pues no... Es que tengo que darle las pelas... ¿Le has llamado a su casa?... Sí, pero no estaba y tampoco estaba su madre... Igual está todavía en Cercedilla...
No creo, porque he llamado a Ramón y me ha dicho que está en Madrid buscando un local para tocar...
Pues espera a que te llame, ¿no?... Ya... Mira, yo voy a salir ahora y por la noche ceno fuera porque es el cumpleaños de mi padre, pero voy a estar en casa como entre siete y nueve. Si te llama Miguel, le dices que yo también quiero pillar y que me llame, ¿vale?...
Bueno... Pues hasta luego, Roberto... Hasta luego.

Cuelgo. Me jode bastante que Miguel no haya llamado. Sobre todo por el costo.

—Venga, Carlos, que tenemos que irnos ya —dice mi hermana.

—Voy.

Salimos por la Nacionaluno con dirección a Burgos. Pasado Alcobendas, empieza a haber indicaciones de Iteuve a seis kilómetros.

En la Iteuve, una cerda nos pide la documentación del coche.

—Pasen a la tercera ventanilla, por favor —dice.

—¡ACELERA QUE SE VA A CALAR! —dice la gorda.

El coche se cala. Tardo un poco en arrancarlo, porque está mal de punto. En la tercera ventanilla, un barbas nos dice que vayamos al número uno.

—¡QUÉ SE TE VA A CALAR OTRA VEZ! ¡ACELERA!

Echo el freno de mano y salgo del coche.

—¿Qué pasa? —pregunta mi hermana.

—¡QUE NO ME GUSTA QUE ME GRITEN! ¡MUÉVETE, QUE CONDUCES TÚ!

—Jo, vale, vale, que no te he gritado. Qué borde estás.

Un mecánico con mono rojo nos dice que demos las largas.

—¿Qué?

—¡QUE ENCIENDAS LAS LARGAS! —le grito a la gorda.

—Hijo, no grites así, que no le había oído.

—¡AHORA LAS CORTAS!

—Que ya, que ya te he oído.

—¡AHORA LOS INTERMITENTES!

—Joder, Carlos, no me grites así, por favor.

El mecánico se mete en el foso, comprueba la dirección y chequea todo. Cuando sale, nos da un papelito y dice que ya está y que vayamos a la ventanilla siguiente.

—Sólo pierde algo de aceite. Aparte de eso, está bastante bien.

En la ventanilla, una vieja nos da una pegatina que tenemos que colocar en la parte superior derecha del parabrisas.

Nos vamos.

Yendo por la Nacionaluno, mi hermana se mete en Alcobendas, para en una gasolinera y me dice que le dé pelas. Yo bajo el volumen del huolkman y le grito que no tengo dinero.

Algo más tarde, salimos de la Emetreinta por el enlace de Ventas y aparcamos en una de las paralelas a Lagasca.

.

Bajamos hasta la Puerta de Alcalá andando. Pasamos Serrano y tomamos la primera bocacalle a la derecha hasta llegar a la librería Hiperión. Dentro, un gordo con barbas nos dice que están a punto de cerrar.

—¿Queréis algo en particular? —pregunta.

—Sí —dice mi hermana—, queremos unos libros de poesía para hacer un regalo.

El barbas señala un tablero donde están escritos los títulos de los libros de poesía más vendidos del mes, y la gorda escoge dos: La Espera, de un tal Micó, y Deixis en Fantasma —hay que joderse con el titulito—, de otro tal Ángel González. Luego compra dos marcalibros que llevan impresos fragmentos de horribles poemas de Antonio Machado.

A mí no me gusta la poesía. La poesía es sentimental, críptica y aburrida. Me repugna. Es un género en extinción: no hay nadie que pueda vivir de la poesía en estos tiempos. Es una cultura muerta. La cultura de nuestra época es audiovisual. La única realidad de nuestra época es la de la televisión. Cuando vemos algo que nos impresiona siempre tenemos la sensación de estar viendo una película. Ésa es la puta verdad. Cualquier película, por mediocre que sea, es más interesante que la realidad cotidiana. Somos los hijos de la televisión, como dice Mat Dilon en Dragstorcauboi.

Pagamos al barbas y salimos.

Por el camino, miro la foto del tal Micó. Barbilampiño. Con gafas, feo como era de esperar, y encima seguramente catalán.

Ya dentro del coche, saco un bolígrafo y escribo en la primera página de cada ejemplar: para papá, con cariño, Carlos.

—También podías ser un poco más cariñoso, ¿no?

—Pero si he puesto: con cariño.

Mi hermana escribe algo así como: para mi papi, que es el tipo más estupendo del mundo...

Por Alcalá, salimos a la Emetreinta y en media hora llegamos a casa.

Al entrar, me quito los cascos y le pregunto a la fili si ha llamado alguien.

—Sí, Meguel.

—¿Nadie más?

—No.

La puta de Amalia no ha llamado. Menuda zorra.

—No te olvides de que hemos quedado a las nueve y media para ir a cenar —me recuerda la gorda.

Llamo a Miguel.

¿Miguel?... Qué pasa, Carlos. Te he llamado antes y he hablado con tu tailandesa, ¿te lo ha dicho?... Sí. ¿Qué pasó ayer que no llamaste?... Nada, que no tuve tiempo. Estuve buscando local ¿Lo has alquilado al final?... Lo he medio apalabrado pero ya sabes lo que pasa con Ramón, que está metido en un grupo con sus amigos y le da cosa decirles que no quiere tocar con ellos... ¿Y no quiere el local?... Bah, ya sabes cómo es Ramón que siempre anda medio agilipollado por la vida. Me había dicho que sí pero ahora ha cambiado de opinión. Estoy hasta los cojones. Creo que lo que voy a hacer es poner un anuncio en septiembre para meterme en un grupo... Ya. Oye, ¿qué pasa con el costo?... Pues nada. Iba a pillar hoy pero no he podido localizar al tío... ¿Quién es?... El Niñas, uno del trabajo. A ver si le pillo mañana... Para unos doce, no hay problema, ¿no?... Ninguno. Voy a pillar una tableta de doscientos. Hay cincuenta para mí y para Celia, veinticinco que me ha dicho el Roberto, seis para José, luego para ti, y el resto lo paso en la facultad para amortizar gastos... ¿Sabes algo del Raro?... El chollo allí se acabó. El Raro está en una situación muy chunga. Está metido en líos porque le han puesto una denuncia en la sierra, donde pasa, y encima debe medio kilo de perico. ¿Cómo lo va a pagar?: eso no lo sabe ni él. Ya sabes cómo es el Raro: vive al día y deja un cadáver bonito, ése es su lema... Y la nariz, el don de la naturaleza para poder esnifar... Está muy pasado, pero no le puedes decir nada, que se mosquea... Ya lo sé. Bueno, mañana te doy las pelas... Sí, mira. Quedo contigo y con Roberto a las siete y media en mi casa, nos pillamos unos tragos y lo hablamos todo... Vale... De todas maneras, te llamo desde la oficina para confirmártelo... Pero no muy pronto... No te jode. Voy a estar yo esperando a que te despiertes para hablar contigo. Te llamo a las once y te jodes y te levantas, que yo ya llevaré varias horas en la oficina... Tú es que ya estás hecho un auténtico currante... Y tú un pijo disfrazado... Pensaré en ti cuando me meta en la piscina... Cabrón. Qué envidia me das... No exageres, Miguel, que tú también tienes tu chaletito en la sierra... Pero yo ya me gano la vida y no vivo de mis viejos... Vale, vale... Bueno, Carlos, te llamo mañana... Hasta mañana, Miguel... Hasta mañana... Espera, Miguel, ¿cuánto va a costar esto?... Cuatro o cuatro y medio... Bien, pues hasta mañana... Hasta mañana.

—¿QUÉ ESTARÁS COMPRANDO TÚ? ¿COSTO O COCAÍNA, EH? ASÍ TE GASTAS EL DINERO DE MAMÁ Y PAPÁ...

Mi hermana es un coñazo, está siempre fisgando y se entera de todo, pero estas cosas no se las dice a los viejos. Claro que yo tampoco les cuento cómo mete a su novio a las cinco de la mañana por la ventana de su habitación.

Me tumbo en el sofá. En la mesa veo un libro de poesías de un tal Gil de Biedma, que debe de ser del viejo, y un artículo de El País que se titula: Poetas ante el fin de siglo. Lo cojo y leo un poco: ...No estamos, sin duda, en una época lírica: la última fue la de entreguerras. Entonces los poetas eran populares. El cine primero y la televisión después... Vuelvo a dejar el artículo sobre la mesa.

Estoy en mi habitación.

Quiero echarme una siesta, pero no puedo porque mi hermana se empeña en enseñarme las fotos que acaba de revelar del último Interrail que ha hecho con sus amigas.

—Mira. Aquí estábamos en Francia, en Monpelié, aquí en Italia, aquí en Turquía —dice.

Bostezo ostentosamente.

—No te olvides que le damos juntos el regalo a papá, ¿eh, Carlos?

Cuando sale, me meto en la cama, pero justo entonces alguien llama a la puerta. El timbre sigue sonando y la estúpida perra no deja de ladrar. Al sexto timbrazo, me levanto de mala hostia y abro.

En el portal hay un tío raro que me sonríe. Lleva unas revistas en la mano, tiene gafas y viste una camisa abotonada hasta el cuello con una pajarita de lo más hortera. A su lado, un niño de unos seis años me mira con ojos bizcos.

—Oye, mira —dice el de la pajarita—, si te interesa leer, estamos distribuyendo unas revistas sobre la esperanza y la desesperación. Ves, aquí dice que la esperanza puede salvar de la desesperación incluso al hombre que está tirado en la calle sin hogar ni...

—¿Cuánto cuestan? —le interrumpo.

—Pues mira, las revistas en sí no cuestan nada. Lo único que aceptaríamos sería una contribución voluntaria...

El niño me sigue mirando con la misma cara de gilipollas mientras el intenso olor a mala colonia que despiden me empieza a producir náuseas.

—A mí sólo me interesan las películas —digo, y cierro la puerta antes de que me intenten vender un vídeo.

Me meto en la cama y duermo una hora hasta que mi madre me despierta.

—PERO, ¿QUÉ HACES TODAVÍA EN LA CAMA? LEVÁNTATE, CARLOS, QUE SON LAS NUEVE Y ARRÉGLATE, QUE VAMOS A SALIR A CENAR.

Tengo la tensión algo baja.

La vieja sale y mi hermana entra en la habitación.

—Venga, Carlos, que ya ha llegado papá. Vamos a darle el regalo —dice.

—¿Está Quique?

45

—No. Se ha ido a ver a su novia a Madrid, pero que firme luego.

El viejo está en su cuarto quitándose la corbata: acaba de llegar de la oficina. La gorda le da el regalo y se le lanza al cuello.

—¡FELIZ CUMPLEAÑOS!

—Feliz cumpleaños —murmuro yo.

El viejo me da un beso.

—Gracias, hijos —dice.

—Venga, preparaos ya, que vamos a salir, y arreglaos un poco —dice mi madre.

—Yo ya estoy preparada. Sólo falta Carlos.

—¿Y Quique?

—Quique está en Madrid, ha ido a ver a su novia, pero acaba de llamar y ha dicho que le recojamos en la esquina de Bravo Murillo a las nueve y media.

Voy al baño y me doy una ducha rápida. Cinco minutos después estoy listo.

—A veces me gustaría que fueras más apañadito —dice la vieja—. Qué moda más tonta la de llevar los pantalones rotos, como si fuerais pobres. A ver cuándo nos das una sorpresa y te pones una corbata, o una pajarita.

En Plaza de Castilla, en el cruce con Bravo Murillo, recogemos a mi hermano.

Cenamos en Ondarreta.

Un camarero con bigote saluda familiarmente a los viejos.

—¿Qué va a ser esta noche? —pregunta.

Yo pido una entrada de endivias con salmón y un solomillo de buey. La gorda dice que sólo quiere un segundo plato porque está a régimen.

Comemos.

—Carlos, qué bien estarías con el pelo cortito y una corbata, incluso una pajarita —dice la vieja.

Al otro lado de la mesa, mis hermanos están discutiendo.

—Es que no se os puede llevar a ningún sitio.

—Es Quique, que me ha dicho...

—Venga, Quique, deja de meterte con tu hermana. Firma aquí en los libros, anda.

El viejo está de buen humor. Nos hemos acordado de su cumpleaños y ahora estamos cenando en familia, sin la tele entremedias como de costumbre. Estas pequeñas cosas le hacen feliz. Yo, sin embargo, prefiero la tele.

Mis hermanos siguen discutiendo:

—Pues yo quiero la casa de la Moraleja —dice la gorda, muy convencida.

—No, ésa la quiero yo —dice el enano.

La vieja y yo reímos. Mi padre, que todavía está de buen humor, cuenta cómo, cuando era chico, un día le pidió a su viejo una navajita de plata que le gustaba mucho. Dijo: cuando te mueras, papá, ¿me darás tu navajita de plata? El abuelo estuvo una semana sin hablarle.

El abuelo es muy severo. Ahora está muy jodido desde que murió la abuela. Debe de estar a punto de palmar, porque cada vez que le veo, le encuentro más delgado. Últimamente le visito poco porque se pone a hablar de su terrible soledad en vez de alegrarse porque voy a verle.

—¿Cómo está el abuelo? —pregunto.

Los viejos son personajes del pasado, fósiles. Hay una inadecuación entre ellos y el tiempo que les rodea. Son como fantasmas, como películas o fotos de un álbum viejo y lleno de polvo. Estorbos.

—Pues ahí está el pobre, en su casa. Se entretiene como puede —dice el viejo.

Él tiene ochenta años y un cáncer de pulmón. El cáncer y la edad están echando una carrera para ver quién acaba con él antes. Le han prohibido terminantemente fumar, pero yo le veo con un pitillo en la mano cada vez que voy a visitarle. No le digo nada, claro, porque es su problema y no el mío.

Al hablar de su padre, el viejo se ha puesto melancólico. A mí me da vergüenza ajena verle así, tan débil. En la vida hay que ser fuerte; si no, te comen. Desde muy pequeño lo tuve muy claro. No es posible, está a punto de llorar. Se me pone la piel de gallina sólo de verle. Ahora ha sacado un pañuelo y dice: perdonad, es que he pensado en mi pobre padre y me ha dado mucha pena. Esto comienza a parecerse a un culebrón sudaca.

—Bueno. ¿Pedimos el postre? —pregunto.

IV

—Carlos, tiléfono.

Me levanto y miro el reloj: son las once y veinte.

Voy al salón y cojo el teléfono.

¿Sí?... Oye, Carlos, que soy yo, Miguel. ¿Te he despertado? Pues te viene bien. No es nada, sólo que ya he localizado al Niñas. Le voy a ver a las dos y luego quedo con vosotros como a las siete, ¿vale?... Bien... ¿Llamas tú a Roberto?... Sí, yo le llamo... Pues hasta las siete... Hasta las siete.

Cuelgo el teléfono y me meto otra vez en la cama.

Tres horas más tarde me vuelvo a despertar. Abro los ojos y me quedo mirando al techo un buen rato. Luego me masturbo.

Salgo a la piscina. Me tumbo un poco al sol y me pongo los cascos.

Al entrar de nuevo en casa, me echo crema.

La mesa todavía no está puesta.

Enciendo la tele pero, como no hay nada interesante, bajo el volumen y llamo a Roberto.

Oye, Ana, ¿está tu hermano?... Sí, ahora se pone...

¿Sí?... Hola Roberto, qué pasa, soy Carlos... Qué pasa... Ya he hablado con Miguel... ¿Ya está apañado el costo?... Sí, hemos quedado a las siete en su casa... ¿Y está bueno?... Y yo qué sé, Roberto. Todavía no lo he probado... Bueno, era sólo una pregunta, no te pongas borde. Entonces, ¿quedamos a las siete?... A las siete en casa de Miguel, sí... Pues hasta luego... Hasta luego.

Luego llamo a Amalia.

Hola, ¿podría hablar con Amalia, por favor?... Sí, un momento. ¿De parte de quién, por favor?... De Carlos... Voy a ver si está. Espera un momento... ¿Sí?... Qué tal, Amalia, soy Carlos... ¿Qué tal?... Nada, te llamo para ver qué tal vas... Pues tirando... ¿Qué tal con el Chus?... Muy mal. Estuvo aquí el domingo y se intentó suicidar. Por eso no te he llamado... ¿Otra vez?... Sí. Salió del hospital por la mañana y se vino aquí por la tarde, pero no me apetece hablar de eso por teléfono... ¿Quieres que quedemos?... Bueno... ¿Te hace que nos veamos mañana?... Bueno... Pues me paso mañana por tu casa, ¿vale?... Sí... ¿Sobre qué hora?... Cuando quieras... Por la tarde, a las ocho o así, pronto, ¿te parece bien?... Sí... Bueno, pues hasta mañana, Amalia... Hasta mañana.

Cuelgo.

Qué coñazo de tío, el Chus éste. Si quisiera suicidarse de verdad, se cortaría las venas en el baño como hace la gente normal y nadie se lo impediría. A saber qué nueva burrada se le ha ocurrido ahora. ¿Cómo es posible que no se dé cuenta de que está haciendo el ridículo?

—Carlos, que vamos a comer. He invitado a Herre, que hoy no viene papá —dice mi hermana—. Voy a irle a buscar a Plaza de Castilla y ahora vuelvo.

—Date prisa.

—Espéranos para comer, ¿vale?

Un poco más tarde, estamos Herre, mi hermana y yo comiendo en el salón. Herre me mira con sus ojos saltones y yo le pregunto por su grupo. Herre me responde que bien, con su voz grave. Herre ha sido novio de mi hermana durante dos años. Debe de haber estado muy enamorado de ella porque todavía sigue llamando a casa cada dos días.

—¿Seguís con el mismo cantante? —pregunto.

—Sí, es un tío muy majo. Tiene mucho morbo. Yo no me atrevería a cantar las letras que canta él.

—Y el disco, ¿para cuándo?

—Pues ahí estamos. En septiembre vamos a grabar una maqueta que nos la hace gratis un amigo del cantante. Ya tenemos suficientes temas nuestros, así que después, pues a mover la maqueta por todos lados... Y tú, ¿sigues tocando la guitarra?

Contesto que bah y le pregunto que si tiene costo. Herre me dice que no.

—Lo que hacemos es música simple, lo más simple, sabes, como Nirvana, eso es lo que le gusta a la gente, un ritmillo guapo y unas letras con un poco de tequieroyyotambién y ya está, sabes. El cantante, de todas maneras, mete mucho sexo. El otro día estábamos tocando en el Laboratorio y entró una tía que se llama Mari Carmen, sabes, a la que le había dedicado una canción diciendo que cómo le encantaría follársela y comerle el chocho, aunque huele a pescado, y, jo, tío, se la cantó delante de ella gritando con el micrófono entre las piernas, sabes. La tía salió avergonzada, claro...

Mi hermana se ríe.

Yo pongo cara de interés.

—...Pues yo me curro un ritmo guapo y luego le meto la melodía que me va saliendo, medio inventada. Yo no tengo ni guarra de solfeo, sabes, yo saco tres acordes, un ritmo y ya está; luego metemos la batera y el bajo, y así las canciones salen como churros. Cuando no tengo muchas ganas de currarme una letra, le digo al cantante que se la curre él, sabes...

—¿Qué vas a hacer este verano?

—Currar para ver si me saco unas pelas para agosto. Voy a ver si puedo sacarme un curro como socorrista y luego puede que vaya a ver a Santi, el batera, a la Manga.

Termino de comer, me levanto y digo que voy a echarme una siesta.

—Hasta luego —dice Herre.

Antes de acostarme pongo el despertador a las seis y cuarto.

Cuando suena la alarma, le doy un manotazo al despertador, que cae al suelo y deja de sonar.

Tengo una erección considerable, así que me masturbo de nuevo. Luego me ducho y me preparo para salir.

Un poco después aparco enfrente de casa de Miguel. En su portal me encuentro con Roberto, que viene andando en dirección contraria; detrás suyo, se ve la plaza de toros de Las Ventas. Hace calor y Roberto tiene pinta de gángster con la perilla que se ha dejado y las gafas de sol.

—Qué pasa, Roberto.

—¿Has llamado por el telefonillo? —pregunta.

Aprieto el botón del tercero derecha en el telefonillo, una, dos, tres veces.

—¿Sí? —contesta una voz ronca.

—Que bajes, Miguel.

—¿Está Roberto también?

—Sí.

—Ahora bajo.

Esperamos un rato y, al cabo, Miguel sale del portal; detrás viene Celia. Miguel lleva pantalones cortados, botas Naik negras de raper y gafas de sol Reiban de piloto de avión. Su novia tiene buen tipo, cara un poco rara, y nunca dice nada. Por eso se lleva tan bien con Miguel.

Miguel nos da un abrazo a cada uno, cosa que sabe que odiamos.

—Mis amigos —exclama.

—Anda, déjate de abrazos —dice Roberto.

Le damos dos besos a Celia y vamos a una bodega a pillar un par de litronas.

—El ver esos cuernos de chocolate me ha hecho sentirme nostálgico —comenta Roberto al salir de la tienda.

—¿Comías muchos cuernos de pequeño?

—Yo no, los odiaba. Pero los comían todos mis amigos. También me recuerda el año de Cou, ¿os acordáis? Qué año aquél, siempre estábamos juntos.

—Sí, claro, vosotros dos os lo pasasteis de puta madre, todo el día de pellas y fumando, pero luego encima aprobabais mientras que yo, como un colgao, me quedé repitiendo Cou. Pero al menos allí conocí a mi Celia. Os imagináis que no hubiera fumado tanto con vosotros, igual nunca hubiera conocido a mi novia.

—Corta el rollo y vamos a un parque, Miguel.

Para fumar vamos casi siempre al parquecito de la plaza de toros pero hoy, como hay concierto, hay maderos por todas partes y decidimos ir al Parque de las Avenidas.

—¡Va a tocar Yulio, Yulio, yuju! ¡Te queremos! —exclama Miguel, pronunciando como un inglés y soplando besos con las manos. Se refiere a Julio Iglesias, que toca esta tarde en Las Ventas.

—Venga, deja de hacer el payaso, Miguel. ¿Habéis visto que novio más loco me ha tocado?

En el Parque de las Avenidas, buscamos un sitio para sentarnos, pero hay mierdas de perro por todas partes.

—Malditos perros, habría que exterminarlos

—dice Roberto—. Seguro que Beitman los ametrallaría a todos.

Una vieja pasa con un caniche negro feísimo y nos mira. Yo le saco la lengua y el caniche se pone a ladrar.

—No te pases —dice Celia.

—Malditos viejos. Habría que implantar la eutanasia obligatoria a los cincuentaycinco.

—Beitman no se carga a ningún viejo en la novela —dice Roberto.

—Porque le dan demasiado asco, hasta para matarlos.

Encontramos un banco de espaldas a la Emetreinta y nos sentamos, Celia en la esquina, Roberto en el centro y yo a su derecha. Miguel se queda de pie.

—Tú, de pie, claro, porque eres el que hablas —dice Roberto.

Miguel abre la bolsita de cintura que lleva y saca las piedras.

—Cada una de éstas son veinticinco, así que una para Roberto y la mitad de la otra para Carlos —dice.

Roberto muerde su piedra y paga a Miguel.

—Espera —dice Miguel, mientras calienta la otra piedra con un mechero. Cuando termina de cortarla en dos con su navaja, se mete las pelas de Roberto en el bolsillo.

—¿Os vale?

Roberto está rulando. Yo saco el Abadí y comienzo a pegar una ele.

—Roberto, ¿tienes rubio?

Roberto me pasa un paquete de Marlboro.

—Pásame también el mechero.

—Bueno, ¿qué os parece el chocolate que os he conseguido? ¿Qué opináis? Está rico, ¿eh?

Roberto le da unas caladas a su porro y aspira con fuerza, reteniendo un buen rato el humo en los pulmones.

54

—Ah, ya tenía mono. Qué bien sienta esto.

—Está rico —digo. He rulado la ele y estoy fumando.

Una pareja de niñatos se sienta en el banco de al lado. Ella se pone entre las piernas de él y comienzan a besarse.

—Bueno, cuéntanos lo del Raro —digo—. Y abre los litros, ¿no te parece? Toma tus pelas.

Le doy cuatro talegos a Miguel, que se los mete en la bolsita de cintura.

—Eso, ¿cuáles son las historias ésas del Raro que me han contado?

Miguel hace un gesto con la mano y se muerde el labio.

—¡Ufff, el Raro! No os digo nada: la movida en la que se ha metido. Le han puesto una denuncia en el pueblo en el que trabaja y ha dejado de pasar, pero debe medio kilo, no te cuento nada, medio kilo de coca, y esa gente no se anda con bromas... Por lo menos, sigue trabajando y ganará pelas ahora que ha dejado el vicio...

—No me puedo creer que el Raro lo haya dejado —digo.

—Pues qué remedio, si se metía la mitad de lo que pasaba... El Raro siempre ha estado muy colgado.

—Ya te digo. Que os cuente Celia la última vez que fuimos a verle a Vicálvaro cómo acabamos, ¿eh, Celia? Se nos caían las narices al suelo. A mí me sangraban cada dos por tres y cada vez que me metía un moco, me ponía otra vez. Pero es que nos metimos diez gramos entre los tres en dos días. Y el Raro, dale que te pego, rayita por aquí, rayita por allá...

—Yo, al final, os lo juro que no me quedaban ni fuerzas para esnifar. Allí estaba la raya y no podía aspirar.

—Si es que el Raro casi no duerme, se tiene que meter valium y, si no, se pone a jugar al Nintendo.

55

—Pero, ¿lo ha dejado o no lo ha dejado?

—La última vez que hablé con él me dijo que sí, aunque en el curro aún pega las napias a la barra de vez en cuando.

Miro a Roberto y a Miguel: los dos tienen ojos de emporrados. Celia menos, porque va pintada. Roberto está rulando otra vez. En el banco de al lado, la pareja de niñatos sigue morreándose.

—Mirad los dos niñitos —señalo con el dedo—. ¡Pero follad de una puta vez y dejad de perder el tiempo!

—Vamos a degollarles y a serrarles los brazos —Roberto se ríe.

—Tú, desde que has comenzado a leer al colega Pat, te has vuelto tan violento como él, ¿eh, Roberto?

Roberto se vuelve a reír y Miguel y Celia nos miran, extrañados.

—Mirad qué perro más feo, un vagabundo. ¿No crees que deberíamos pisotearlo, eh Roberto?

—¿Pero qué os pasa, muchachos? Estáis algo violentos últimamente.

—Te tenemos que pasar este libro, Miguel. Verás qué cojonudo.

—Pero hay que pelearlo hasta que mata a alguien, no te creas. Unas ciento y pico páginas, por lo menos.

—Ya, pero en seguida recupera el tiempo perdido.

—Sí, pero anda que no hay que aguantarle pijadas al yupi de Pat.

—A Pat se le aguanta cualquier cosa. Es un héroe.

—A mí, el libro que me ha parecido cojonudo, es el que me ha pasado Celia, el Gurb de Eduardo Mendoza. Es la hostia ese libro. Cómo me he podido reír con él...

—Ya, yo también lo he leído.

—¿Sobre qué va?

—Es un extraterrestre que aterriza en Barcelona

en busca de otro extraterrestre que había venido antes...

—Que se había convertido en un putón...

—Que se había convertido en Marta Sánchez, y el extraterrestre cuenta lo que le pasa y lo describe todo de una manera acojonante.

—Hay un momento en el que se enamora de una vecina y no sabe qué hacer, y cada vez va a su casa a pedirle algo diferente. Primero una esponja, luego arroz, luego gambas, y al final la tía le da cinco mil pelas para que se vaya a un restaurante...

—¿Y cuando le pilla el jefe levitando para limpiar las tortillas que se habían quedado pegadas al techo?

—Sí, sí, eso es cojonudo. Y luego le encantan los churros y se compra no sé cuántos kilos...

—Y, cuando se va, le regala a su jefe un rancho en California.

—Seguro que Patrick es mejor.

—Son diferentes. Lo de Gurb es una bobada, lo de Beitman es toda una filosofía, una actitud ante la vida...

—Anda, deja de filosofar, Roberto, y pásame el mechero.

—Sois la hostia, eh. En cuanto intento decir algo ligeramente interesante, me cortáis.

—Venga, Roberto, que vamos a hacernos una trompeta.

—No, de ésas no, que entran fatal con el filtro de cartón. Yo prefiero muchos pequeños y bien. Moros, que es como mejor entra.

—¿Y no os haría ir de tripi esta semana?

—Sí, pero ¿quién tiene tripis ahora?

—Igual Manolo tiene.

—Yo tengo entendido que está muy chungo ahora en Madrid.

—Lo que había que hacer es irse a Amsterdam y bajar, que sé yo, trescientos tripis, o más.

—Dicen que todo está muy controlado a la salida de Amsterdam.

—¿Pero quién te va a encontrar unos tripis? Los tripis no huelen. Los metes en cualquier lado, en la pasta de dientes, y ya está.

—A mí me apetecería un montón ir a Amsterdam. Parece ser que allí, por la calle, todo el mundo va sonriendo y que, si te fijas en sus bocas, nadie tiene dientes. Los tienen todos corroídos, de tanto comer ajos...

—Lo que había que hacer, es irse a Amsterdam y montar un burdel con dos o tres putas. Tu novia y la mía, Miguel, por ejemplo, y que nos den las pelas luego para ponernos. ¿A ti qué te parecería, Celia?

—Bueno. Y os podríamos prostituir nosotras también, que hay mucho marica por todos lados...

—Espera, espera. Tengamos las cosas bien claras, eh, Celia. Tú eres mi novia y yo meto, no me importa dónde, pero no me dejo meter. A mí la mierda no me la busca nadie...

—Roberto, chaval, ¿qué te pasa que te has puesto blanco?

—Eso lo tienes bien claro, ¿no?

—Mirad qué toro es mi novio.

—Déjate de toros, Celia, y pásame el mechero, que esto no pega.

—No, Roberto, no. Mira lo que ha hecho el Carlos. Hoy no llegamos a casa.

—Venga. Fumemos, como dijo Nerón. Y fumó solo, el cabrón.

—¿Y eso a qué viene?

—Calla. No comprenderías...

—Oye, ¿y por qué no nos vamos en septiembre a Amsterdam? ¿Os imagináis? Entrar allí en cualquier bar y que os saquen el menú y que os digan: ¿qué prefieren los señores? ¿El doble cero de Marruecos o el sello rojo del Líbano?

—El Líbano, el Líbano...

—Y todo el mundo allí con su zumo de naranja, sonriendo, sin dientes, con la puta particular encima de las rodillas, atada con una correa...

—Miguel...

—Si es que yo soy muy animal, joder. Teníamos que ser como los animales y todo sería muchísimo más simple. Los perros se huelen el culo y ya está. Y si se gustan, follan, y si no, pues no, pero no se complican la vida.

—Pues casi como nosotros.

—No. Tú, porque eres guapo. ¿Pero los otros? Que hay mucha gente fea por el mundo, no te creas.

—Venga, Miguel, basta de bobadas.

—Menos mal que tengo una novia cojonuda con la que me voy a casar y a la que quiero muchísimo.

—Ya me imagino, si te vas a casar con ella...

—Y tú también te casarás algún día. Eso les pasa a todos.

—Veremos.

—Yo también era antes como tú, pero tarde o temprano se cae. Todo el mundo cae, te lo aseguro.

—Deja de sermonear, Miguel.

—Oye, qué rico está este costo, ¿eh? ¿A que está bueno?... Pásame el mechero, Roberto, que esto no está tirando bien.

—Si es que son un coñazo esas trompetas, yo ya os lo he dicho. No tiran nunca bien.

—Dadle unos tragos a la cerveza, que se va a quedar calentorra.

—Bah, ya sólo quedan las babas. Últimamente estoy hasta el culo de beber cerveza y de echar tripa. ¿Veis la barriga que tengo ya?

—Miguel, no saques tripa, tío.

—Cada cual con sus penas.

—Oye, yo voy a tener que pasarme por el Kronen, que he quedado con los otros.

—¿Con los pesados de Guille, David y éstos?

—Sí, con ésos.

—No sé cómo puedes ser amigo de esos pasmados...

—Eso es cosa mía.

—Pues yo me voy con mi novia al Burguer. ¿No os hace venir?

—Yo la verdad es que comería algo, pero preferiría un buen bocata de tortilla.

—Bah, tú lo que pasa es que no eres español.

—¿Cómo que no soy español? Joder, me gustan las tortillas.

—Pero las tortillas y esas cosas son para los turistas. Yo las como en mi casa y prefiero no tomarlas fuera.

—Bueno. Yo me voy al Kronen.

—Yo voy contigo, Roberto. A ver si le doy un toque al Manolo para lo de la coca.

—Pero qué vicioso. Acabas de pillar tu piedra y ya quieres meterte lo siguiente. No sabes disfrutar del presente.

—El presente es una mierda.

—Pues el futuro, no te digo. Ya verás. Casado, con hijos, con canas. Viejo y podrido.

—Yo no me casaré. Ni tendré hijos. Luego se cagan en los pañales. Para limpiar mierdas, ya tengo bastante con la perra en casa.

—Bueno. ¿Nos movemos o no?

—Venga. ¿Dónde tienes tu coche, Roberto?

—En la Plaza de Toros.

—¿Cómo aparcas tan lejos?

—Porque más cerca no hay sitio.

—¿Cómo que no hay sitio? Enfrente de mi casa tienes una calle cortada cojonuda. Nunca hay nadie.

—Miguel, que yo tengo que estar pronto en casa.

—Sí, venga, Miguel, que nos movemos. ¿Qué hacemos con los litros?

—Bah. Déjalos ahí. No seas tan europeo.

—Ahí quedan.

—Bueno. Celia y yo nos vamos al Burguer. Hasta luego, chavales. Nos llamamos esta semana.

—Qué ojos tienes, Miguel.

—Tú es que no te has visto los tuyos.

—Bueno. Nos llamamos. Hala, hasta luego. ¡Buen huoper! ¡Disfruta de la cagalera! Hasta luego, Celia.

—Hasta luego, pesados. Iros ya de una vez, coño.

—Venga, Roberto, que mi coche está ahí, en la esquina.

—¿Has traído el escarabajo?

—Sí.

—¿Llevamos el tuyo o el mío?

—Me da igual.

—Qué poco peleón estás últimamente, Carlos. Se diría que un par de porros pueden contigo. Estás viejo.

—Tú calla y rula.

—Bueno. Aquí está tu coche. Vamos al Kronen.

—Qué poco tira tu escarabajo. A ver cuándo le jubilas y te compras otro.

—A ver si mi viejo cambia de coche y subimos todos en la escala. De todas maneras, a mí el coche que más me gustaba era el Cientoveinticuatro.

—Sí, pero bien que lo jodiste.

—Un accidente. Fue un accidente, joder. Llovía mucho.

—Y con la moto, ¿también llovía?

—Roberto, no me hinches los cojones y vamos a entrar. Al menos yo no me saqué el carné de conducir a la octava.

—Fue a la sexta.

—Porque tuviste suerte.

—Qué pasa, Manolo.

—Qué pasa, Roberto. Qué pasa, Carlos.

—Hola, loco, ponme un Jotabé con cocacola.

—Siempre güiscolas, ¿eh, Roberto?

—Sí, pero estoy un poco hasta la bola de emborracharme todos los días. Comienza a ser un martirio. Beber, beber, beber. Así los torturaban en la Edad Media. Con un embudo, imagínate. No han mejorado mucho las técnicas desde entonces.

—Esos ojos tan rojos no son de beber, ¿eh, Roberto?

—Ya te digo. Hoy ha sido un buen día.

—Hey. Que yo también existo.

—Perdona, Carlos. ¿Otro güiscola?

—Sí. Jotabé.

—Esperad, chavalotes... ¿Qué queréis vosotros, jóvenes?

—Oye, Manolo. ¿Qué hay de lo que hablamos?

—Pues nada, tronco. Que todavía no he podido enganchar al tipo éste, pero te juro que en el momento en que lo enganche, lo agarro, lo sacudo y suelta todo lo que tenga encima.

—¿Antes del fin de semana?

—Antes del fin de semana.

—Joder. Lo que hay que hacer es legalizar el jachís. Como en Amsterdam.

—Tengo yo unas ganas de ir a Amsterdam, tronco...

—Tú, Manolo, lo que tenías que hacer es montar un chiringuito. Ya sabes lo que te digo.

—Pero si yo, chavalote, antes de fraile fui monaguillo, antes de ser fraile fui monaguillo y muy monaguillo...

—Ponnos algún pinchito, Manolo.

—...Y todavía conservo mucho de monaguillo. Vamos, que soy más monaguillo que fraile...

—Cocinero, Manolo.

—¿Qué pasa con el cocinero?

—Que el refrán es: antes de fraile fui cocinero.

—Bueno, eso es igual. Oye, qué movida más guay la del sábado, ¿no, tronco? Habrá que repetirla...

—A ver. Está sonando el teléfono, Manolo.

—Ya voy.

—...

—Es para ti, Robertón. El David. Que no vienen, tronco.

—Me cago en la hostia. Siempre están igual. Estoy empezando a estar hasta los cojones de todo. Siempre me hacen lo mismo.

—No será para tanto, Roberto.

—Que sí, que sí. Cada vez estoy más harto de todo. Nada me interesa.

—Tú lo que necesitas es una buena cerda.

—Bah, las cerdas me dan asco. En cuanto se me acercan, les digo: Hey, ¡cuidado! Yo soy un poco como ellas: odio que me entren. Es algo físico. Pero el Guille y el David y todos éstos se pasan ahora el día entrando a las tías... Joder. ¿Desde cuándo entramos nosotros a las cerdas? ¿Desde cuándo nos rebajamos a ese nivel?

—Robertón, es que tú eres muy raro, tronco.

—No, raro no. Soy un misógino. Eso es todo. Y ponme otro güiscola, Manolo, y con hielo.

—Qué ritmo, muchacho.

—Estoy hasta el culo de todo. Yo lo que quiero ahora es salir de aquí, de Madrid, y no ver a todos éstos en un par de meses, por lo menos. Si es que a mí no me gusta la movida que llevamos aquí en Madrid. Es decir, me gustaría si nos quedáramos aquí unos pocos juntos, hiciéramos algo de vida en comunidad, nos conociéramos un poco, y no esto, que somos veinte o más, pero como si no fuéramos ninguno.

—Tienes razón, Roberto. Tienes toda la razón.

—Cuidado, que el Roberto se pone filósofo y entonces la hemos cagado, tronco.

—Tienes toda la razón, Roberto.

—Si al final el Beitman va a tener razón y acabaremos por odiar a la raza humana.

—...

—Pero si es que no me escuchas. ¿Me oyes?

—Sí. Sí, perdona. Se me había ido la bola. No sé dónde tenía la cabeza...

—Es igual.

V

Me levanto con la cabeza algo cargada: la movida de anoche se prolongó más de lo que esperaba y volví a casa a las seis. Saco la piedra de ayer, la quemo y lío un porro. Lo enciendo con un Zippo horrible que me regaló mi hermana por mi cumpleaños y me quedo mirando el humo espeso que llena la habitación. Estoy sentado, apoyado sobre el respaldo de la cama, y sujeto en la mano una cajita metálica que utilizo como cenicero. Pienso en que no tengo nada que hacer durante el día. Sólo comer, dormir y cagar: está claro que el lujo es el retorno al estado animal.

Cada vez me cuesta más salir de la cama.

Son casi las dos. Haciendo un esfuerzo, consigo levantarme, me arrastro en gayumbos hasta el salón y llamo a la filipina para que me prepare el desayuno.

—¿Ha llamado alguien, Tina? —le pregunto.

—No, nadie.

Bebo el zumo de naranja de un trago y enseguida me entran ganas de cagar, así que voy al baño y me siento en el váter. Otra vez estoy descompuesto. El alcohol, desde luego, no es lo mejor para hacer bien la digestión.

Me limpio el culo y tiro de la cadena.

Un poco más tarde enciendo la tele. No hay nadie en casa, así que me pongo una peli porno.

Como de costumbre, al principio, el tío está flojo: una de las dos cerdas le mordisquea los pezones y le chupa la polla hasta que se empalma. El tío comienza a follarse a una mientras la otra se masturba. Luego empiezan los planos cortos de su cara y se ve que está a punto de correrse. Justo cuando lo hace, llaman a la puerta y tengo que apagar el vídeo y cambiar de canal rápidamente.

Mientras la fili abre la puerta, me voy a mi habitación y limpio el semen de mi vientre con un Klínex.

El viejo entra en mi habitación.

—Aséate un poco —dice—, y vamos a comer.

Comemos, como siempre, sin decir ni una palabra y viendo el telediario. El viejo me pregunta qué he hecho hoy. Le digo que nada y frunce el ceño. En la tele están hablando de los juegos olímpicos de Barcelona y parece ser que Felipe González va a pasear la antorcha olímpica de un lado a otro de la Moncloa. Ya hablan menos de Yugoslavia. La verdad es que es una guerra de segunda. La del Golfo, con los moros, era más espectacular. Además, estaba mucho más claro quiénes eran los buenos y quiénes los malos.

—Dime, Carlos. ¿No piensas hacer nada este verano?

—Nada especial.

—Si quieres, te podemos enviar a Francia, como a tu hermana. Así aprendes algo de francés, que te viene bien...

Le explico al viejo que no me interesan los idiomas. Además, es un coñazo viajar.

—Es un coñazo viajar, es un coñazo viajar. ¿Qué no es un coñazo para ti?... Dímelo, Carlos, porque yo te juro que no sé qué hacer contigo. No te entiendo. ¿Por qué no aprovechas el verano para leer algo?, ¿o para hacer algo práctico? Vosotros los jóvenes lo tenéis todo: todo. Teníais que haber vivido la posguerra y hubierais visto lo que es bueno...

Ya estamos con el sermón de siempre. El viejo comienza a hablar de cómo ellos lo tenían todo mucho más difícil, y de cómo han luchado para darnos todo lo que tenemos. La democracia, la libertad, etcétera, etcétera. El rollo sesentaiochista pseudoprogre de siempre. Son los viejos los que lo tienen todo: la guita y el poder. Ni siquiera nos han dejado la rebeldía: ya la agotaron toda los putos marxistas y los putos jipis de su época. Pienso en responderle que justamente lo que nos falta es algo por lo que o contra lo que luchar. Pero paso de discutir con él.

—¿Pero cómo pretendes que te comprendamos si nunca nos dices nada?

—Yo no necesito comprensión —digo. Necesito tu dinero, eso es todo.

El viejo se ha callado. El silencio se alarga y miro la tele. Está terminando el telediario.

—Bueno, hijo. No quería ponerme a discutir. Dejémoslo.

Luego, después de otro silencio que llena la publicidad:

—El abuelo está solo en su casa. Me gustaría que le hicieras una visita. Ya sé que el pobre está muy deprimido últimamente y es difícil hablar con él. Pero al fin y al cabo es tu abuelo. ¿Comerás mañana con él?

Respondo que sí después de dudar un poco. No se me ocurre ninguna excusa para negarme.

—El pobre... El pobre... Se está muriendo.

En la tele ha salido la gorda que presenta el culebrón sudaca de turno. Es raro que mi hermana no esté aquí porque no se pierde ni un capítulo.

—Bueno... —dice el viejo—. Me voy a tumbar un rato. ¿Me puedes despertar dentro de quince minutos?

Le digo que sí y se va a su cuarto.

Mi hermana llega y grita que quiere ver el culebrón. En ese momento suena el teléfono y lo cojo.

—¿Carlos?

Me doy cuenta a tiempo de que es mi prima Martina y, antes de que me líe al teléfono, se la paso
a mi hermana. No soporto a mis primas. En general, no soporto a nadie de mi familia. No puedo evitarlo.

La gorda coge el teléfono y me dice que ni se me
ocurra cambiar de canal.

Yo salgo a la piscina.

Mientras me tumbo al sol me doy cuenta de que
me he olvidado de levantar al viejo pero bah, por un
día que llegue tarde a la oficina no pasa nada.

Cuando vuelvo a entrar en casa, mi hermana sigue
hablando por teléfono. Le está contando a alguien
que el viernes se va a Francia, lo que es de puta madre porque así me quedaré con el coche yo solo.

Después de ducharme, llamo a Rebeca. No contesta nadie. Luego llamo a Roberto y me coge su vieja:
no, no está, ha salido, creo que está en casa de Pedro.
¿Quieres que le diga algo? ¿Le dejo un recado?... No,
es igual. Sólo dígale que he llamado... Yo se lo digo.
Hasta luego, Carlos.

Me levanto, cojo mis gafas de sol, las llaves, un
par de condones y salgo.

El coche, como de costumbre, está sin gasolina.
La cabrona de mi hermana siempre consigue dejar-
me el depósito a cero.

En la Plaza de la Entrada le echo sopa y el gasoli-
nero me mira de una manera rara.

—No se puede fumar aquí —dice.

Apago el porro en el cenicero.

Poco después, salgo a la Emetreinta. Por la carretera de Colmenar me desvío a la derecha para entrar por la Avenida de la Ilustración. Pasados los arcos, me meto por la primera bocacalle. Aparco en doble fila.

Llamo al telefonillo del piso de Amalia.

—¿Está Amalia?

—Sí. ¿Eres Carlos? Espérate un momento que ahora baja.

Amalia aparece por el portal, sonríe y me da un beso dudoso entre la mejilla y el labio.

—Bueno, ¿dónde vamos? —pregunto.

—Donde quieras pero fuera del barrio. No quiero encontrarme con los colegas del Chus.

—¿Nos tomamos algo por el centro?

—Sí, venga. Vamos. ¿Dónde has dejado el coche? ¿O prefieres que llevemos el mío? Al menos tiene música.

—Es que yo lo tengo mal aparcado.

—Pues vamos en tu coche. ¿Dónde está?

El coche está aparcado en segunda fila y hay un gilipollas pitando para que le deje salir.

—Vale, vale, que ya nos vamos. Que te jodan, cabrón.

—La gente es que se pone nerviosa por nada —dice Amalia.

Salimos por la Avenida de la Ilustración, Carretera de Colmenar, Castellana.

Amalia está muy callada y soy yo quien rompe el silencio.

—Bueno. Cuéntame qué pasa con el Chus.

—No, ahora en el coche, no.

—Pues cuéntame qué tal va tu hermana.

—Tirando, ya ves. Ahora se ha buscado un lío con su profesor de tenis, que está casado.

Pasamos por Emilio Castelar, Colón, Cibeles, Alcalá, Gran Vía. Hay mucho tráfico porque es hora punta.

—¿Y tu curro?

—Como siempre. Ahí, sacándome las pelas para ver si un día puedo irme de casa de mis padres.

—¿Para qué?

—Porque alguna vez tiene que pasar. Quiero decir: ya tengo veinticinco tacos. No voy a pasarme toda la vida viviendo con ellos. La verdad es que con lo que ahora gano podría compartir un piso, pero son muchas movidas, demasiadas privaciones.

—Claro. Ahora todas las pelas que ganas las tienes netas para vicio.

—Sí, pero al menos me las gano.

La Gran Vía está llena de negros y de moros: cada vez se parece más al Bronx.

—¿Te dice si vemos una película? —pregunto. Amalia dice que sí.

Yo estoy muy tranquilo ahora. La vida se ve de color de rosa cuando se está fumado.

Pasada la Plaza de España, giro a la izquierda después del semáforo y me meto por la primera calle antes de Martín de los Heros, hasta llegar a una pequeña plazoleta donde siempre hay sitio para aparcar. Tengo que meter el coche en una esquina. Al hacerlo, toco un poco al de atrás.

—Ten cuidado —dice Amalia.

—¿Dónde vamos? —pregunto.

—No sé. A cualquier lado. Podemos acercarnos a ver lo que echan en el cine y luego nos tomamos una copa.

—Bueno.

En Martín de los Heros hay varios multicines. En los Renuar echan Rifraf, Elsilenciodeloscorderos, Lasospecha, Elnidodeadán y Ladoblevidadeverónica. En los Alfabil echan Naitonerz, Delicatesen, Hastaelfindelmundo y una película de Romer: Cuentodeinvierno. En sesión de madrugada: Jenriretratodeunasesino y Bagdadcafé, pero sólo los viernes y los sábados.

A Amalia le apetece ver Hastaelfindelmundo, pero yo consigo convencerla de que no merece la pena.

—El Jert es insoportable. Es como el Guere o el Miki Rurk, que te gustan la primera y la segunda vez, pero luego son incapaces de dejar de ser ellos mismos. Cada vez te crees menos sus personajes y, al final, acabas odiándoles. Sobre todo el Guere, que es expresivo como una piedra.

—¿Y qué actores te gustan a ti?

—¿A mí? No sé. Daniel Dei Luis, por ejemplo, al que le dieron el óscar. El de Mihermosalavandería y Mipieizquierdo.

—No sé quién es.

—Sí, hombre, sí. También actúa en Unahabitaciónconvistas, que la echan ahora en Canalplús...

—No tengo Canalplús.

Amalia no va nunca al cine. No le interesa tanto como a mí. En el fondo le da igual cualquier película. Seguro que está pensando en el Chus.

—Ven. Vamos a buscar un bar.

Cruzamos la Gran Vía y nos sentamos en una terraza. Las películas empiezan a las diez y media o a las once menos cuarto y tenemos tiempo de sobra para tomar una copa.

—¿Qué queréis? —pregunta un camarero vejete.

—Yo, un huaitlabel con hielo, ¿y tú?

—Yo, un Jotabé con cocacola.

Amalia siempre bebe Huaitlabel.

El vejete trae las copas.

—Ahora ya me puedes contar la historia del Chus.

Amalia le da un trago a su güisqui y yo miro el reloj disimuladamente. Son las nueve y diez, está oscureciendo y los coches llevan ya puestas las luces. Pongo cara de interés y escucho vagamente el monólogo de Amalia, que es como la voz en off que ilustra mi toma de la Gran Vía. De vez en cuando, le hago alguna que otra pregunta.

...Pues sí, ya te conté la historia del viernes, ¿no? Tuve que meterle los dedos en la garganta y hacerle vomitar. Vamos, que menuda escena. Y encima estaba sola porque mis hermanos habían salido, así que luego tuve que llevarle al hospital, a Urgencias del Ramónycajal, para que le desintoxicaran. Y allí me tuve que quedar sola, esperando en la sala, hasta que salió un médico a decirme que no había ningún problema pero que el Chus tenía que dormir allí y quedarse, al menos, un par de días en observación. En fin. También me preguntó que si era toxicómano. Vamos, lo que siempre me pasa con el Chus... Y luego tuve que pasar el corte de llamar a su casa para decirles lo que había pasado, y no veas la escena que me montaron. Porque para ellos, claro, la culpable de todas las movidas del Chus soy yo. Soy yo la que le metí en drogas, soy yo la supermala de la película. Pero, eso sí, a nadie se le ocurre mencionar que también era yo la que me llevaba las hostias del Chus, la que tenía que pasearle de psicoanalista en psicoanalista, la que tenía que aguantar sus crisis de bebé, y, encima, la que tengo que llevarle al hospital para que le curen... Pero eso no es lo mejor, queda tela todavía. Yo, claro, ya creía que se estaba recuperando y sólo tenía noticias suyas a través del gilipollas de su hermano, porque su familia me había prohibido visitarle, no fuera que se desestabilizase más... En fin, que el domingo por la tarde, cuando mis padres no estaban en casa, llaman a la puerta y, ¿adivina quién entra en el salón, todo pálido y con ojos de loco?... Bueno, pues yo intento sonreír y mis hermanos hacen todo lo posible para suavizar la situación. El Chus se sienta sin decir una palabra y tiene los ojos extraviados. Yo le ofrezco algo y mi hermana le saca un güisqui, pero el Chus que no dice nada, con la vista perdida, hasta que, de repente, porque sí y sin dar explicaciones, coge y tira el güisqui con los hielos al suelo. Mi hermana que le dice que no se pase, que deje de hacer el crío, y el Chus que se echa a llorar... Sí. Así como te lo cuento. Se echa a llorar... No, no, espera que continúe... Entonces me acerco y le intento coger la mano, quería abrazarle para calmarle, y, ¿sabes lo que hace el muy cabrón? Pues se pone a gritarme que no le toque, que soy como todas las demás, que soy una puta, y no me acuerdo cuántas burradas más. Mi hermano que le dice que cuidado con lo que dice, y el Chus que se levanta y dice que va a romperse un vaso en la cabeza. Así, sin más. Y coge el vaso y se lo rompe. ¿Pero tú te crees? ¿Te imaginas la escena?... Pero aún queda más, no te creas, porque el tío, allí de pie con el pelo lleno de sangre, pálido y con lágrimas en los ojos, empieza a decir que me ama, que no puede vivir sin mí, y que, como le he dejado, se va a matar. ¿Te das cuenta de la escena?... Sí. En fin, que mi hermano le empieza a llevar hacia la puerta y mi hermana llama a su novio por teléfono... Una movida de película, ya ves... Pero es que todavía queda lo mejor, porque de repente el Chus comienza a gritar que se va a matar, que se va a matar, que se va a tirar por el balcón y mil cosas más. Bueno, mi hermano ya se empieza a mosquear y le dice que no diga bobadas y que ya es hora de que se vaya a casa y que deje de joder... Vamos, que se comienzan a pelear y el Chus que, de repente, le da un cabezazo a mi hermano; yo, que empiezo a gritar, más de rabia que de otra cosa, y el Chus que corre hacia la terraza, que estaba abierta, y se tira por el balcón... No. No se mató, no, pero se quedó allí, colgando de un sexto piso. Y mi hermano y yo agarrándole por donde podíamos mientras los vecinos comenzaban a salir de todos lados y a señalar con el dedo. Todo un espectáculo. Luego vino mi hermana y así, entre los tres, conseguimos más o menos subirle. En fin, que una historia... Menos mal que luego llegaron el novio de mi hermana con otros colegas del Chus y le llevaron a su casa. Pero el tío, medio ido. No decía nada, absolutamente nada... Y menos mal que no estaban mis padres. Si llegan a estar, eso hubiera sido la leche. Yo creo que a mi madre le da un soponcio...

Amalia da un último trago a su güisqui y pide otro. El mío está todavía a medias. Ella me mira, con el vaso vacío entre las manos, y sonríe.

—Ya sé que siempre te agobio con mis historias y con el Chus y el Chus, pero te juro que después de cinco años una cosa así no es nada fácil.

La miro sin decir nada.

—Bueno. ¿Qué piensas tú de todo esto? —pregunta ella.

—Yo pienso lo que te he dicho siempre, que te está haciendo chantaje sentimental. Si de verdad se hubiera querido suicidar, lo hubiera hecho. Se hubiera metido en su cuarto de baño y se hubiera cortado las venas, como hace todo el mundo, sin necesidad de joder a los demás.

Llamo al vejete para que traiga otra copa y me levanto.

—Tengo que ir al baño y hacer una llamada —digo.

El bar tiene un baño turco asqueroso y contengo la respiración mientras meo.

Cuando salgo, le pregunto al vejete si tienen teléfono: hay uno al lado de una máquina tragaperras.

Marco el número de teléfono de Rebeca y me tapo un oído con la mano.

¿Rebeca?... Sí, mi niño, ¿qué tal estás?... Oye, que voy a llegar a tu casa como a las doce y media o una... Qué pasa, ¿te ha pasado algo?... No, no. Me he liado con un amigo que me ha invitado a cenar... ¿Tienes costo?... Sí... Pues me podrías traer algo, mi vida. Un par de talegos o así... Veré lo que puedo hacer... Oye. ¿Y no podrías pillarme una papelina?...

74

¿Una papelina de qué?... Algo de heroína, mi niño...
Escucha, Rebeca. Hoy no tengo tiempo para nada.
Llegaré como a las doce y media, ¿vale? Y te corto
porque no tengo más pelas y estoy en una cabina.

Cuelgo.

Amalia está todavía sentada y sonríe al verme
llegar.

—Bueno. ¿Qué película vemos al final?

—¿Te apetece ver Hastaelfindelmundo?

—Que no, que a mí en el fondo me da igual.

Terminamos la copa, pagamos y volvemos a los
cines. Al cruzar la Gran Vía es totalmente de noche.

En el Alfabil, pedimos dos entradas para Hastaelfindelmundo, nos metemos en la sala tres y nos sentamos en cuarta fila. No hay mucha gente porque es
miércoles.

A las diez y veinte, empieza la sesión.

La película es aún más coñazo de lo que esperaba.
Durante la última media hora, bostezo sin parar y
miro el reloj para ver cuánto queda para que ter-
mine.

Cuando al fin se acaba, le doy un morreo a Amalia
y salimos cogidos de la mano.

—¿Qué te ha parecido?

—Es un poco complicada, pero a mí me ha gustado mucho.

—Pero si son todo clichés: el hombre misterioso,
la mujer aventurera, el amante comprensivo, el
científico moralista... —exclamo, completamente
asqueado.

—Tampoco hay que buscarle tres pies al gato,
Carlos. Es una película entretenida y punto. Y a mí
me ha gustado. Venga, vamos a beber algo.

Yo miro el reloj (es la una menos cuarto) y digo:
bueno.

En el bar de enfrente, el camarero nos advierte

que van a cerrar a la una. Nos quedamos en la barra y Amalia pide un Huaitlabel.

—Venga, que te invito —dice.

—Tengo que llamar por teléfono un momento, ¿me esperas?

—No me voy a ir andando a casa...

Hay un teléfono al fondo del local. El camarero está recogiendo y pone las sillas encima de las mesas.

Oye, Rebeca, que soy yo... ¿Qué pasa, mi niño? ¿Por qué tardas tanto?... Nada. Es que hoy no voy a poder pasarme... Cómo que no vas a poder venir. ¿Por qué?... Es que estoy muy cansado... Pero, Carlos, no me puedes hacer esto. Hoy no está mi madre, es la única noche que tenemos para los dos después de bastante tiempo. Y mañana vuelve la vieja... Lo siento. No voy a ir... Estás con alguien, ¿verdad? ¿Estás con otra tía?... No... Entonces, ¿por qué no vienes? ¿Con quién estás ahora? ¿Estás con un tío...?

Cuelgo y vuelvo con Amalia.

—Me vas a acercar a casa, ¿no? —pregunta ella sonriendo.

En el coche, comenzamos a darnos la paliza, pero Amalia me aparta y dice:

—No, aquí no. Llévame a casa.

Chasqueo la lengua y arranco. Salgo de la plazoleta, doy la vuelta a la manzana para salir por Princesa, subo por Gran Vía hacia Alcalá.

—Podíamos haber ido por Moncloa. Es más corto.

—Ya lo sé, pero me apetece ver las luces de Gran Vía.

Me encanta conducir tostado.

—Oye, ¿te has mosqueado conmigo?

—No.

Amalia se calla y el silencio se va haciendo pesado.

76

Estamos en la Castellana y Amalia mezcla el tabaco con el jachís.

—Conduce más despacio, que se me va a caer todo.

Cuando Amalia termina de liar, me pasa el porro. Lo cojo con la mano izquierda y abro la ventanilla para echar la ceniza fuera.

La Castellana está muy bonita por la noche. La torre Picasso está completamente iluminada.

Plaza de Castilla, Carretera de Colmenar, Avenida de la Ilustración.

Amalia, a mi lado, mira por la ventanilla. Yo me la estoy imaginando desnuda y me estoy empalmando. El pantalón vaquero me empieza a apretar.

Paro enfrente de la casa de Amalia y echo el freno de mano. Amalia está fumando y me mira. Ahora sonríe un poco. Yo me acerco a ella, comienzo a besarla. La toco por todos lados. La beso el cuello, le meto mano por debajo de su camiseta. Le desabrocho el sujetador y le acaricio las tetas hasta que se le ponen duros los pezones. Apaga el motor, ¿no? Apago el motor y le acaricio el vientre por debajo de la camiseta. Amalia cierra su ventanilla, mira fuera para ver si pasa alguien: en la calle sólo hay un viejo paseando un perro. Jo, ¿qué haces? La estoy empujando para situarme debajo suyo en el asiento del pasajero, dejándola sentada encima de mis piernas. Una vez en esta postura, le acaricio las tetas mientras le mordisqueo la oreja. Amalia jadea un poco y gira la cabeza para besarme con la lengua fuera. Yo le desabrocho los botones del pantalón vaquero y meto la mano como puedo. Tiro un poco del vello del pubis y abro los labios vaginales con mis dedos. Subo el dedo índice y comienzo a tocarle el clítoris, luego lo meto en la vagina y acaricio un poco la zona entre ésta y el culo. Amalia chasquea la lengua y guía mi dedo hacia el clítoris.

—Más rápido —murmura.

Empiezo a mover el dedo cada vez más rápidamente. Al poco, su vientre comienza a contraerse y Amalia se corre.

—¿Ya?

—Sí. Pero qué vergüenza. Ha pasado el hombre aquel que paseaba el perro y se ha quedado mirando. Qué vergüenza...

—Bah. ¿A ti qué te importa?

—¿Y si sale alguien de mi familia?

—Pero si estamos en la oscuridad y, encima, las ventanillas están empañadas.

—Es verdad. Hace calor.

Me muevo un poco debajo de ella, para que se dé cuenta de que estoy cachondo.

—¿Estás excitado? —me murmura al oído. Yo, como respuesta, le doy un lengüetazo. Ella me quita la camiseta y me mordisquea los pezones. Yo comienzo a desabrocharme los pantalones. Tranquilo, murmura ella mientras me ayuda. Amalia agarra mi polla con todos los dedos y me masturba muy despacio, mientras me mete la lengua en la oreja. Esto me excita hasta casi el orgasmo, pero ella para bruscamente y dice: todavía no. Levanta la cabeza, limpia un poco el vaho del cristal y mira para ver si hay alguien fuera. ¿Quieres que te haga una mamada?, pregunta. Le digo que sí. Me baja más los pantalones y me come el capullo hasta que estoy a punto de correrme otra vez. Entonces para de nuevo, saca el glande de su boca y dice: no, todavía no. Luego, vuelve a comerme el capullo cada vez más rápido, hasta que siento que ya no puedo controlarme más.

Agarro la cabeza de Amalia por los pelos y, con un gemido, me corro en su boca.

Amalia saca un Klínex de su bolso y escupe.

—Toma. Esto es tuyo.

Me río satisfecho. Ha sido igual que una peli porno.

VI

A las doce y media me despierto y me acuerdo de que he quedado en ir a comer a casa del abuelo.

Haciendo un enorme esfuerzo, salgo de la cama y me ducho lo más rápidamente posible. Luego, desayuno con prisas en el salón y le pregunto a la fili si ha llamado alguien.

—Nadie, nadie.

—Pues, escúchame: a partir de ahora si llama una tal Rebeca, no estoy nunca, ¿entiendes? No estoy para Rebeca.

—No estás por Ribeca.

—Eso es.

El abuelo come pronto, a la una y media. Como no le gusta que lleguemos de improviso, le llamo por teléfono para avisarle.

¿Abuelo?... Sí, ¿quién es?... Soy Carlos, tu nieto. Oye, que salgo para tu casa y llego en una media hora, ¿eh? Espérame para comer... Pues muy bien, Carlos. Ahora mismito le digo a Sara que nos prepare la comida... Hasta ahora, abuelo.

—Oye, Carlos, que yo también quería salir ahora con el coche, que siempre te lo llevas tú.

—Lo siento, Nuria. Tengo que ir a comer con el abuelo.

—Jo, espera cinco minutos que me vista, y me acercas a la facultad.

—Vale, pero date prisa.

Mientras mi hermana se cambia, salgo corriendo y me llevo el coche.

En cinco minutos estoy en la Emetreinta. Pillo Avenida de América, María de Molina, Serrano, Goya, cruzo Colón y subo hasta Santa Bárbara, donde encuentro un sitio para aparcar. Luego camino hasta la calle de Hermanos Álvarez Quintero. En el número cuatro, un viejo de unos sesenta años sale de la portería y me da la mano.

—Hombre, Carlos. Hacía bastante tiempo que no venías por aquí —dice—. Tu abuelo estará muy contento de verte.

El portero me abre la puerta del ascensor.

En el cuarto piso llamo al timbre. Al poco, una voz desconfiada de vieja grita: ¿quién es?, a través de la puerta.

—Soy yo, Carlos.

La puerta blindada se abre.

—Es que últimamente tengo mucho miedo, ya sabes que hay muchos ladrones por aquí.

Me inclino y le doy un beso a mi tía Sara.

—Hay que tener mucho cuidado, hijo, porque hay gente muy mala por la calle, muchos drogadictos que roban a los viejos para drogarse. La última vez que salí a hacer la compra me vinieron tres gamberros y me dijeron que si no les daba dinero, me iban a dar una paliza. Menos mal que siempre le dejo el bolso al portero y no llevo conmigo más que cuatro perras, pero ya van varias veces que me pasa. Si es que los jóvenes de hoy ya no tienen nada de respeto, no piensan más que en drogarse. Hay muy mala gente, hijo. Tenéis que tener todos mucho cuidado. Anda, que el abuelo se va a poner contento al verte.

La vieja me guía a través de un pasillo oscuro lleno de estantes repletos de libros. La madera del suelo cruje bajo mis pasos. En el salón, al fondo del pasillo, el abuelo está sentado en un sillón, leyendo un libro que se titula Lavidadejesús. Está delgado y muy pálido. La tele está encendida en una esquina, sin volumen.

El viejo se quita las gafas de leer y cierra el libro.

—Perdona que no me levante, Carlos, pero es que estoy muy cansado —dice.

—No te preocupes, abuelo.

—Bueno, cuéntame. ¿Qué tal van tus estudios?

—Pues bien. He aprobado todo.

—¿Y qué número eres en la clase?

—Ya no hay números, abuelo.

—Perdona, Carlos, es que esta puñetera memoria me empieza a fallar. El otro día estuve en casa de Juan, tu tío, y no podía acordarme del nombre de tu primo.

—Fernando.

—Sí, Fernando, ya ves. Se me vuelve a olvidar. Pero bueno, dame noticias de tus hermanos.

—Pues están bien, como siempre.

—Perdona, Carlos, pero habla un poco más alto que ya sabes que no oigo bien.

—Están bien, como siempre —digo algo más alto.

—¿Y estudian?

—Sí, abuelo, estudian mucho.

—Eso es bueno, muchacho. Tenéis que estudiar mucho porque la gente de tu generación lo tiene muy difícil. Sois demasiados y la competencia va a ser feroz. El otro día estaba releyendo una novela de un inglés, Jiuxli, que se titula Mundofeliz, una de estas pocas novelas que leo últimamente, porque ahora sólo me intereso por la teología, ya sabes. Es

un retrato terrible del mundo en que vais a vivir...
No hay más que ver en qué se ha convertido Madrid.
La ciudad moderna es monstruosa, Carlos. Yo todavía me acuerdo cuando era joven y vivía cerca de la
Puerta de Toledo en una finca con caballos y animales. Todo se lo llevó la guerra, claro. Es terrible el
paso del tiempo, no te lo puedes imaginar, Carlos.
Aún me acuerdo de cuando era crío y mírame ahora,
hecho un cascajo. Te juro que si alguien me asegurara que si bebía este vaso de agua me moría ahora,
me lo bebería de un trago sin dudar. Esto es terrible,
hijo, pero perdóname. No quiero deprimirte con mis
historias de viejo.

El viejo está llorando como un crío: un espectáculo lamentable.

—Sara, ponnos la comida, por favor.

Sara va a la cocina y vuelve con un carrito lleno
de platos.

—Ayúdame a levantarme, Carlos.

Le doy la mano al viejo, que se incorpora y se sienta a la fornida mesa de madera del comedor. Yo me
siento a su derecha. Sara pone la mesa.

—Hoy os he hecho unos filetes con patatitas y un
pisto muy rico.

—Trae una botella de vino de la cocina, Carlos
—dice el abuelo. Yo me levanto y le traigo un tinto
que hay en un estante encima de la nevera.

Comemos.

Sara se sienta enfrente nuestro. Sólo se le ven la
cabeza y los brazos por encima de la mesa.

—¿Está bueno?, los he hecho con ajitos y perejil...

El abuelo corta pedazos muy pequeños de carne y
los mastica con esfuerzo. Poco después, los escupe.

—Sí que es terrible, Carlos. No te lo puedes imaginar. Ya ni siquiera tengo ganas de comer. Me gustaría pero no puedo, no puedo. Y tampoco puedo dormir. A veces me quedo noches enteras en vela y sólo
consigo dormir llegadas las nueve de la mañana.

Otras veces prefiero mantenerme despierto todo el día para ver si por la noche puedo dormir normalmente. Pero todo es inútil. Lo noto, lo sé, me estoy muriendo, Carlos. Lo siento, no puedo evitar llorar así...

—Últimamente está siempre así —Sara se encoge de hombros.

—Mira esta mujer —dice el abuelo—, es increíble. Aquí la ves con sus casi noventa años y todavía hace la limpieza, la compra y lo que haga falta. Y ni un resfriado en su vida.

—Es verdad. Nunca he estado enferma yo, nunca.

—Todavía me acuerdo cuando la recogí durante la guerra.

El viejo comienza a soltar el rollo de la guerra. Habla de cómo su madre se murió de hambre, de cómo a su padre le dieron el paseo los rojos, de cómo fumaba las colillas que recogía del suelo y hacía las colas de aprovisionamiento. Las viejas historias del pasado. El pasado es siempre aburrido.

—Era terrible, sí —dice Sara.

—Si es que vosotros no os dais cuenta de la suerte que tenéis: no habéis vivido la guerra, ni la posguerra, ni la dictadura. Pero por otra parte no os envidio porque el mundo que os va a tocar vivir es cada vez más deshumanizado. Yo no lo viviré, pero lo estoy viendo ya. Antes, en mi época, había otra manera de tratar a la gente, había un cierto calor y un respeto. La gente salía a pasear por la calle y se saludaba. Ahora, esta mínima ética civil se ha perdido. El otro día vi un programa en la televisión en el que alguien fingía caerse muerto de un ataque al corazón en la Gran Vía y nadie se paraba a ayudarle. La inseguridad ciudadana es abrumadora. Ya te habrá contado Sara lo que le pasa cuando sale a hacer la compra. El problema de la droga es terrible. En mi época los jóvenes hacíamos otras cosas. Cuando salíamos, íbamos al café, donde se podía jugar al ajedrez, donde hacíamos tertulias y la gente discutía mientras se tomaba unos cafés. Había un sentido del compañerismo que ya no existe. La gente de mi edad ha rendido culto a la amistad, una amistad que la guerra puso a prueba. Pero no te quiero aburrir con historias de viejo.

—No me aburres, abuelo.

—La vejez da miedo, Carlos, es estar en primera línea frente a la muerte. Yo, todos los días, lo primero que hago es abrir el Abecé y mirar la sección de esquelas para ver si hay algún conocido o amigo que haya fallecido. Fíjate, el otro día le tocó a Pérez-Aguilar, el pobre, y hacía tan sólo unos días había estado en la peña con nosotros. Estaba muy enfermo. Venía desde hacía tiempo en una silla de ruedas que empujaba su nieta y había prácticamente perdido la memoria. Apenas se acordaba de nuestros nombres y a veces nos miraba sonriendo, sin reconocernos. Enseguida llamé a su viuda para darle mi pésame y la acompañé al entierro con los de la peña. Ya quedamos sólo tres y yo voy a ser el siguiente.

Yo miro la televisión mientras como. El viejo ha dejado de comer y sólo bebe mientras prosigue su monólogo.

—Come, Miguel.

—¡Pero no entiendes que no puedo comer, Sara!

—Sí, tu abuelo lleva ya algunos días así. No es bueno, no. No es bueno.

—Deja de murmurar, Sara, y sube un poco el volumen de ese aparato.

La vieja se levanta, casi salta de la silla, sube el volumen de la televisión.

—La televisión es la muerte de la familia, Carlos. Antes, la hora de comer y la hora de cenar eran los momentos en los que la familia se reunía para hablar y para comentar lo que había pasado durante el día. Ahora las familias se sientan alrededor de la tele; no hay comunicación. La familia se está res-

84

quebrajando como célula social. La mujer, que antes era el núcleo y el alma de la familia, ahora va a trabajar. Mira tu madre, por ejemplo, que ni siquiera come en casa, o la tía Carmen, que es funcionaria. Y a continuación los hijos, en cuanto cambiáis de colegios o vais a la universidad comenzáis a tener horarios completamente distintos. La familia tradicional está muriendo y es una pena. Mira, yo siempre quise que tu padre comprase el piso de enfrente de este mismo edificio cuando decidió casarse, pero él y tu madre se empeñaron en buscar otro piso y así estamos, que apenas nos vemos nunca. ¿Cuántas veces nos vemos tú y yo, por ejemplo? ¿Una vez al mes? ¿A veces hasta dos? Ves. ¿Cuánto tardas en desplazarte de tu casa hasta aquí?, ¿una hora? Antes, las familias vivían juntas, en una misma casa convivían dos, tres generaciones. Yo, por ejemplo, cuando me ennovié con tu abuela —con tu pobre abuela que en paz descanse, tan buena que era— le dejé bien claro desde el principio que, si nos casábamos, mis padres vivirían con nosotros. Y ella lo aceptó, la pobre. Y si no hubieran muerto, hubieran vivido con nosotros.

—Sí, era muy buena, muy buena.

—Era una santa esa mujer, y ahora que no está me doy cuenta de cuánto la quería. Perdona, Carlos, es que no lo puedo evitar. Esta soledad es terrible, si supieras qué terrible es. Ahora pienso que tiene que haber algo más allá y espero que pueda encontrarme con ella, porque si no, esta vida no merece la pena vivirla. Perdona otra vez. Es que cada vez que pienso en ella... He comenzado últimamente a frecuentar las iglesias, ahora voy todos los días y le rezo un rosario entero a tu pobre abuela. El otro día, por cierto, debía de tener una cara tan triste, estando tan solo en la iglesia, que un cura jesuita se acercó y comenzó a consolarme. Desde entonces le veo casi todos los días y mantengo larguísimas conversaciones con él para fortalecer mi fe. Es muy buena persona y me está ayudando muchísimo. Me ha traído unos folletos sobre la cremación, que me han hecho tomar la decisión definitiva de hacer incinerar mi cuerpo. Ya se lo he comentado a tu padre y me lo ha prometido. Pero dejemos un poco estos temas tan dramáticos y hablemos de ti.

—No hay gran cosa que decir, abuelo, ya sabes. La rutina de la vida universitaria. Estudio y apruebo.

—Eso es muy importante. Ya sabes que tu padre y tu tío fueron muy buenos estudiantes. Pero dime, ¿tienes novia?

—No.

—Pues ya es hora de que vayas pensando en el futuro.

—Aún queda tiempo, abuelo.

—A ti te queda tiempo, es verdad; a mí, no.

Hay un largo silencio durante el que se oye a Sara recoger los platos. ¿Estaba bueno, Carlos?, pregunta.

—Sí, todo estaba muy bueno, Sara.

La vieja me agarra del brazo.

—Tengo fruta muy rica, muy fresquita, que me la reserva siempre el frutero. ¿Quieres una naranja?, ¿quieres manzanas?, ¿plátanos? —dice.

—Un plátano.

—Tráeme a mí también un plátano, a ver si puedo comer algo de fruta.

Sara trae algo de fruta y el viejo vuelve a intentar comer. Mastica trabajosamente e intenta digerir, pero no puede.

—Si es que quiero comer, quiero vivir todavía. No puede ser que vaya a morir y a dejar de existir. Quiero creer en Dios y lo intento con todas mis fuerzas. Cuanto más lo pienso, todo el orden que reina en el universo con sus leyes tiene que responder a una inteligencia creativa. No es posible, no puedo creer que toda la Naturaleza sea fruto del azar. Perdona,

Carlos, otra vez. Lo siento, lo siento, no puedo evitarlo.

El viejo saca un pañuelo para secarse las lágrimas. Yo estoy ya un poco harto de verle quejarse y me levanto.

—Me tengo que ir, abuelo.

—¿No te quedas a tomar un café, Carlos? Hazme un poco de compañía.

—Lo siento abuelo, no puedo. He quedado con unos amigos a las tres y ya llego tarde.

Hay decepción en la cara del viejo.

—Bueno, deja que te acompañe a la puerta —dice.

—Pero, ¿ya te vas? —pregunta Sara, saliendo de la cocina—. Espera, que te abro la puerta.

—No, ya voy yo, Sara. Tú quédate a lo tuyo y no te preocupes.

—Adiós, Carlos, y a ver cuándo vienes la próxima vez, que ya sabes que al abuelo le gusta mucho ver a los nietos.

El viejo me guía a través del pasillo oscuro. Al fondo, una lamparilla alumbra un Cristo de madera. En la entrada, el abuelo descorre los cerrojos de la puerta. Me despido de él, le doy dos besos en la mejilla, salgo.

—Hasta luego, hasta luego —repite desde la puerta mientras bajo por las escaleras.

Al salir a la calle, me meto en el coche y me voy al Kronen, a ver si Manolo me tiene ya los dos gramos para el fin de semana.

Santa Bárbara, Colón, Avenida de América, Francisco Silvela. A estas horas, en la calle hace un calor insoportable.

Entro en el Kronen.

Roberto está en la barra hablando con Manolo. Pedro está sentado a una mesa con su novia y otra pareja. Les saludo al pasar, y me siento ante la barra con Roberto.

—Qué pasa, Roberto. ¿Cómo tan pronto por aquí?

—Pues nada, que hemos ido a la facultad, todos éstos y yo, a ver si habían salido las notas.

—¿Y qué tal?

—No están. Estoy ya hasta los cojones de ir a ver listas para que nunca salgan mis notas. No sé para qué hostias les pagan a estos profesores.

—Pero si vas a suspender, loco —dice Manolo.

—Qué pasa, Manolo. ¿Qué tal?

—Qué pasa, tronco.

Manolo me da la mano.

—Ponme una jarra de cerveza, anda.

—Si es que hasta que no salgan las notas no me puedo ir a Marbella, y ya tengo unas ganas...

—Tranquilo, Roberto, que ya saldrán.

—Y me suspenderán, que es lo peor. Yo comienzo a desesperarme. Tengo la impresión de que por mucho que estudie, nunca me aprobarán.

—Pero vas aprobando, ¿no?

—Hombre, me quedan tres de segundo y dos de primero, y a ver cuántas me quedan este año. Igual tengo que repetir.

—Tranquilo, Robertón. Tú ponte a currar como yo, sácate tus talegos y no te preocupes de más.

—Ya, pero yo aspiro a algo más. Anda, pon unos pinchitos, algo para papear, Manolo.

—Ah, oye Manolo, ¿cómo va lo que habíamos hablado?

—¿Lo de..? —Manolo se toca la nariz con el dedo.

—Sí.

—Pues he hablado con el menda y he quedado para mañana. Ha costado, porque ahora la peña se va de vacaciones y todo el mundo quiere llevarse algo, pero bueno, está hecho. Lo que hacemos es que me dejas tu teléfono, tronco, y te llamo mañana por la mañana en cuanto tenga las papelinas.

—Si quieres, te doy las pelas ahora mismo.

—No, no te preocupes. Te pasas mañana por la

tarde y ya apañamos todo. Diez talegos, no te olvides.

—El costo del Miguel del otro día estaba de puta madre —comenta Roberto.

—¿No lo habréis acabado ya?

—No, todavía no, pero no sé si va a quedar para la acampada.

—¿Cuándo os vais?

—El lunes. Queremos ver si pillamos tripis. Si quieres venirte...

—¿Quiénes vais? ¿Los de siempre?

—Sí, ya sabes, el David, el Fierro, el Guille y yo. Y a lo mejor Pedro, si su novia le deja.

—Está de lo más pegajoso con ella, ¿no?

—Está enamorado, ya le ves. Para él esa tía es como una droga, necesita estar a todas horas con ella.

—Y yo, que no la veo gran cosa...

—Tiene carácter, no se deja dominar y esas cosas.

Manolo nos saca unos pinchos de tortilla con ketchup.

—Pues me pensaré lo de la acampada, aunque no creo que vaya.

—A ti eso del campo no te va, ¿eh? Eres una verdadera rata de ciudad.

—¿Vais a pillar tripis?

—Eso es lo que estamos intentando. El David dice que unos amigos suyos de la Alameda nos los consiguen.

—¿Cuántos?

—Diez.

—¿De qué tipo?

—Todavía no lo sabe.

—¿Y Manolo no pasa tripis?

—No, qué va. Ya ves, el Pedro lleva pidiéndoselo desde hace un mes, porque quiere meterse uno con su novia y nada.

—Pues si el David pilla, yo pongo pelas.

—Ya, pero ya sabes cómo es el David, que anda siempre atontolinado y no se entera nunca de nada.

—Pues a ver qué pasa.

—Sí, bueno. Ponme otra caña, Manolo. Ah, una cosa, mañana toca Nirvana, ¿te apetece ir?

—¿Tocan mañana? ¿Dónde?

—En el pabellón del Real Madrid.

—¿Cuánto es?

—Tres mil quinientas. Yo voy a ir con Ramón, el de mi clase, el jebi, ya le conoces. Y luego el Pedro y su novia, si se deciden, porque también están atontolinados.

—Si es que para Pedro, cuando aparece su novia, desaparecen todos los demás.

—Ya te digo.

—La verdad es que hace tiempo que no voy a un concierto.

—Estás acabado.

—¿Me pillas tú la entrada, Roberto?

—Sí. Yo voy a ir mañana por la mañana a Discoplay con el Ramón. Si hay, te pillo una.

—¿Te apuntas, Manolo?

—¿A qué?

—Al concierto de Nirvana.

—No sé, no sé, tengo planes pero igual, si me da la vena, voy. En todo caso ya me buscaría yo la vida para la entrada.

—Carlos. Otra cosa: esta mañana nos hemos encontrado con una amiga tuya de la facultad, esa que está tan loca, muy delgada, no me acuerdo de su nombre, la que estuvo en tu casa el día de tu cumpleaños.

—¿Nuria González?

—Sí, ésa, que me ha empezado a contar su vida y luego me ha dicho que hacía mucho tiempo que no la llamabas, que a ver si le dabas un toque uno de estos días.

—Bueno.

—Fue ésa a la que le dio un ataque de histeria en tu clase, ¿no?

—Sí, fue ésa.

—Si es que te encuentras siempre unas amigas más raras. Como la yonqui ésa. ¿Todavía estás con ella?

—No, ya no.

—Menos mal. Te habrás hecho el test del sida, ¿no?

—Eso es mejor no saberlo. Si lo tienes, lo tienes, y mala suerte, saberlo sólo te va a joder más. Yo paso de tests.

—Allá tú. ¿Y con quién estás ahora?

—Eso a ti no te importa, Roberto.

—Bueno, bueno, qué humor, tío. Sólo preguntaba.

Pedro se levanta de la mesa y nos dice que se van.

—¿A dónde? —pregunto.

—Al sitio ése donde fuimos tú y yo y Miguel una vez, ¿te acuerdas?

—No.

—Bueno, yo sí. Si queréis venir, nos seguís.

—¿Tú qué dices, Roberto?

—A mí me da igual.

—Pues vamos un rato, pero no mucho, que quiero echarme una siesta.

—Ya es un poco tarde.

Pagamos y le decimos a Manolo que se piense lo de Nirvana. Salimos.

Fuera, Pedro y los otros están decidiendo cómo dividirse.

—¿Cogemos tu coche? —me pregunta Roberto.

—Sí.

—Es que últimamente estoy harto de conducir.

Pedro dice que viene con nosotros.

En el coche, Roberto quema una china.

—Cada vez las cosas se ponen más chungas —dice—. Es el puto Matanzo el que lo jode todo. Habría que descuartizarle en público.

Pedro ríe y comenta que Roberto está todavía bajo la influencia del Beitman.

—Es que es un libro cojonudo. Es uno de esos libros que se te quedan grabados en la cabeza.

Roberto ríe:

—Ya voy por el capítulo de Chicas donde se hace dos putas y luego les da de hostias y les pone sal en las heridas...

—Sigue ese coche, el Renolnueve verde —me indica Pedro—. Oye, ¿habéis visto el novio que se ha echado Laura? Menudo retaco asqueroso.

—Yo no les conozco.

—Tú sí, ¿no, Roberto?

—Sí, un poco a la Laura, pero no me cae bien. Patrick seguro que ni se fijaba en ella.

—Patrick odiaría la perilla que llevas, Roberto —le digo, y se ríe.

—A mí, lo que de verdad me gusta es Lamatanzadetexas. Ésa es la película más cojonuda que existe.

—No la he visto.

—Pues no sabes lo que te has perdido. A ti te encantaría, Carlos. Es un tío en Texas que se dedica a matar con una sierra eléctrica a toda la gente que pasa por su casa, y lleva una careta que se ha hecho con pieles humanas...

—No pierdas el coche verde, ¿eh?

—La mejor escena es cuando coge a una cerda y la cuelga del gancho. Eso es cojonudo, inigualable. Lo único malo es que le falta algo de sexo. A mí me gustaría pillar una de esas películas que pilla el Beitman donde además de sangre hay sexo. Me encantaría que se follaran a los cadáveres y cosas así.

—Beitman siempre se corre cuando ve la película en la que le abren la cabeza a la tía con la taladradora.

—Sí, y es como yo. Siempre está pensando en que

tiene que devolver las películas al videoclub, y siempre se le olvida.

—Yo no sé, pero desde que tengo parabólica, casi no paso por el videoclub.

—Y luego es cojonudo cómo siempre va a la misma lavandería a limpiar sus ropas llenas de sangre y se encuentra con una vieja china que le empieza a gritar y él le dice: calla, puta china, lávamelas y calla...

Estamos en la Plaza de Toros de Las Ventas. He parado en un semáforo rojo, detrás del Renolnueve verde. Roberto me pasa el porro.

—A ti, Roberto —digo—, lo que te encantaría son las Esnafmuvis.

—¿Qué es eso?

—Unas pelis que están ahora de moda en las que filman a un tío o a una tía, normalmente una puta o un chavalito, se los follan y luego les matan. Pero de verdad, y delante de la cámara.

—Pues sí, me molaría. Pero, ¿hay de eso en España?

—Venga, dejad de decir burradas, que lo de Beitman está muy bien, pero es una novela y punto.

—Anda, Pedro, no seas moralista. Dime, Carlos, ¿hay películas de ésas en España?

—Pues claro.

—¿Y cuánto cuestan?

—Eso ya no lo sé.

—Venga, Roberto, ¿no ves que te está vacilando? Te está mintiendo.

Me echo a reír y aparco al lado del coche verde. Estamos frente a un garito bastante cutre.

Son las cinco y hace mucho calor.

Al salir del coche, Roberto apaga la colilla del porro con el pie y enciende un cigarro.

—¿Qué tomamos? —pregunta.

Todos se ponen de acuerdo en que botellines, menos Silvia, que quiere una clara.

Un poco después, Roberto sale del bar con los botellines.

El novio de Laura, que tiene acento de maki, dice: bueno, nos hacemos un porrito, ¿no?, ¿qué os parece? Luego se tira un chusco. Laura se va a la acera de enfrente, llamándole cerdo.

—Es natural, ¿no? Decidme, ¿a vosotros os molesta? —pregunta.

Roberto y yo decimos que no con la cabeza.

—Si es que los gases, cuando no salen por arriba, salen por debajo. Anda, ven para aquí, Laurita, que ahora va otro.

Roberto y yo nos sentamos en la acera. Pedro se da el palo con su cerda. El maki nos pasa el porro.

—¿Dónde has pillado? —pregunta Roberto.

—Yo allí, en mi barrio, en Prospe. El chavalito que me pasa a mí, siempre pilla muy buen costo. Está muy localizao, recién salido de Carabanchel y esas cosas. Es de los que en su momento se bajaban al moro, sabes, y se traía kilos pa Madriz. Luego las cosas se pusieron chungas y paró. Decía que al mismo moro que te pasaba el kilo, luego te lo encontrabas en la frontera con el de aduanas, señalándote con el dedo.

El maki empieza a contar historias de tripis, de Gorvachofs, frambuesas y supermanes. Dice que su mejor tripi fue con los colegas de la mili, unos plátanos verdes, creo.

—¿Has hecho ya la mili? —pregunta Roberto.

—Hombre, ya te digo. Pero la mili ya no es ná. A mí me tocó hacerla en Madriz, como a casi tó quisqui ahora, y ná, se salía uno cada viernes al mediodía y a las cuatro ya, en casita, como si fuera un curro cualquiera. La mili ahora está tirá, una tontería.

El maki se pone a hablar con su novia mientras yo rulo un porro.

—No, llevo fumando desde que me desperté y no quiero más o voy a acabar potando —dice Roberto.

—Tranquilo, Roberto, tranquilo.

—Tengo ganas de irme, ya estoy hasta el culo de todo esto. No aguanto más esta ciudad. Necesito aire puro, playa, esas cosas.

—A mí no me apetece nada ver a todos los gilipollas de Santander. Además, allí no se pilla más que mierda.

—A mí no me pasa eso. En Marbella tengo cantidad de colegas.

—A mí me gusta Madrid. Aquí nadie te pregunta de dónde vienes ni se preocupa de si tienes una camiseta de Milikaka o no. Cada cual va a su rollo y punto. Cada movida tiene su zona. Si quieres marcha de pijos, la tienes, si te gusta un tipo de música o te gustan los maricones o qué sé yo, tienes zonas y gentes para todos los gustos.

—...

—¿Qué te pasa, Roberto? ¿Te sientes mal?

—Nada. A mí también me gusta Madrid, pero tiene muchas cosas malas. Cuando viene mi tío de Valladolid se queda acojonado con el tráfico, me dice que es una ciudad de locos y no comprende cómo podemos vivir aquí.

—Es envidia.

—No creas, la gente de provincias está muy orgullosa de donde vive.

—¡Bah!

—¿Quieres otro botellín, Roberto? Espera, que se lo voy a pedir a la novia del Pedro. Están esos dos allí tan enamorados que no se enteran de nada. Voy a darles un toque.

—Es horrible. Todos mis colegas tienen novia —dice Roberto.

—Y tú, ¿por qué no te buscas una novia?

—Porque me dan asco todas las cerdas.

—Ya será menos. Por ejemplo, te gustaba la cerda aquella de la Facultad, Lucía, ¿te acuerdas?

—Sí, pero tenía novio. De todas maneras, eso ya pasó y no quiero hablar de ello.

—Bueno, oye, yo en cuanto acabe este botellín me abro.

—Yo me voy contigo. Díselo al Pedro, a ver si se viene o se queda.

Le digo a Pedro que nos vamos. Él dice que se queda con su novia.

—Ya me lo imaginaba —comenta Roberto.

—¡Bah! ¿Dónde tienes el coche?

—En el Kronen.

Nos levantamos para irnos y nos despedimos.

—Pues encantados, chavalitos —dice el novio de Laura.

Pedro queda en llamarnos.

—«Os llamo, os llamo», siempre igual. Luego, nunca llama. Estoy ya harto de llamarle yo siempre —dice Roberto en el coche. Antes de llegar al Kronen, donde tiene aparcado su Golf, me pregunta:

—Oye, Carlos, ¿eso de los Esnafmuvis era verdad?

—Sí, hombre, sí.

—¿Y podrías pillarme una? Te juro que pago lo que sea. ¿Qué dices?

—Lo siento, Roberto, la verdad es que no conozco a nadie que las pase.

—Ah, bueno.

Dejo a Roberto en el Kronen y le doy las pelas para que me pille una entrada para el concierto.

Avenida de América, Emetreinta.

Al llegar a casa le pregunto a Tina si ha llamado alguien. Me dice que nadie, sólo Miguel.

—¿Rebeca ha llamado?

—No.

—¿No?

—No, no.

Por la noche, durante la cena, hago lo que puedo para que no se note mucho lo emporrado que estoy.

—¡Qué pronto has venido hoy! —comenta la vieja—. A ver si te formalizas y comienzas a llegar a horas más normales. No entiendo yo lo que hacéis todo el día danzando por ahí.

Mientras me lavo los dientes, oigo cómo la vieja le dice a mi padre:

—¿No te parece que Carlos está un poco raro? Tenía los ojos enrojecidos, como si hubiera estado llorando.

VII

¿Sí?... ¿Está Carlos?... Sí, soy yo... Qué pasa, ¿te he despertado?... Sí, pero es igual. No te preocupes... Lo siento, tronco. Soy Manolo, que te llamo para lo del polvo, que ya está apañado y que si te pasas esta tarde por el Kronen ya lo tienes, ¿vale? Hala, chaval, no te molesto más. Ah, y que también he pillado una entrada para esta noche. Bueno, duerme bien, tronco. Hasta lueguito.

Cuelgo y me paso la mano por el pelo, bostezando. El desayuno está servido encima de la mesa.

Salgo a la piscina y me tumbo un poco al sol.

Poco después, la filipina grita:

—¡Tiléfono!, ¡tiléfono!

Entro en casa en bañador y cojo el teléfono.

¿Sí?... Oye, tranquilo, chico, ¿qué te pasa? ¿Te has levantado hoy con el pie izquierdo o qué? ¿No me reconoces ya?... ¿Qué quieres, Nuria?... Pues nada, te llamo para ver qué tal vas y para que me cuentes en qué líos andas metido últimamente... En ninguno... Ya, ya. Eso no me lo puedo creer. Eres incapaz de mantenerte alejado de los problemas. Si te conoceré yo... ¿Tú crees?... Un poquito, al menos, ¿no te parece? Bueno, ¿has terminado las clases?, ¿te ha quedado alguna?... No... ¡Qué suerte! Yo acabo de empezar a estudiar para septiembre ahora. Estoy muy fastidiada, pero al menos me he quitado la que me quedaba de primero. Me han puesto un sobresaliente, no te creas... Me alegro... Oye, y sabes que ya tengo novio... ¿Sí? ¿Cómo se llama?... Se llama Joaquín y es alto, guapo y muy inteligente. Prepara ahora oposiciones para juez... ¿Sí?... ¿Te acuerdas de aquel chico que te decía que no me hacía caso? Pues resulta que un día casi me atropella al salir de la Residencia. Se excusó, salió del coche y se ofreció a llevarme a casa. Yo, claro, estaba super borde pero él me invitó a cenar ese mismo día. A mí se me pasó el malhumor y acabé saliendo con él. ¿Y tú? ¿Tienes novia?... No, qué va, todavía no... Tendrás que crecer algún día, Carlos. No puedes seguir siempre así. No haces más que hacer daño a la gente... Bueno, déjame hacer con mi vida lo que mejor me parezca... Vale, mientras no jodas a los demás. Si es que tienes que quererte más. Eres de las personas que menos se quieren de todas las que conozco... Deja de psicoanalizarme, anda... Bueno. ¿Te apetece que quedemos?... Cuando quieras, pero hoy no... ¿El lunes te viene bien?... Sí... ¿Quedamos para ir al cine?... Bueno... Pues llámame el domingo por la noche y hablamos... Bueno... Muchos besos, Carlos, y cuídate mucho.

Cuelgo.

—¿Ha llamado alguien más hoy, Tina? —pregunto.

—No, nadie.

La cabrona de Amalia no llama nunca, la muy zorra.

Vuelvo a salir a la piscina, me pongo los cascos y duermo un poco.

Cuando entro en casa, mi hermano está jugando al Nintendo. Mientras me cambio, oigo llegar a mi padre. El viejo entra en el salón, se quita la corbata y le grita al enano que ponga las noticias.

Nos sentamos a comer y vemos el telediario, que hoy está entretenido. Nueve inmigrantes polacos han muerto en un incendio en Móstoles. En China ha habido trescientos muertos por una inundación. Y sigue la guerra en Yugoslavia: parece que la situación se normaliza. Un cura vasco, el arzobispo de Irún o algo así, está siendo juzgado por socorrer etarras y el fiscal pide al menos seis años de prisión. La llama olímpica ha llegado a Madrid. Los gabachos tienen paralizado el tráfico por una huelga de camioneros. En Pamplona han limpiado las calles dejándolas tan resbaladizas que el encierro de hoy ha sido el más peligroso que se recuerda en los San Fermines.

Después de comer, el viejo se va a su cuarto a echarse una siesta. Hoy, como es viernes, no trabaja por la tarde. Yo procuraré salir pronto.

Cojo el teléfono y llamo a Roberto.

Oye, ¿Roberto?... Sí, qué pasa Carlos... ¿Has conseguido las entradas?... Sí, ya las tengo... ¿Quiénes vamos al final?... Pues, tú, Ramón, yo, el Manolo, que me ha llamado. Y creo que Pedro y su novia, aunque todavía no he hablado con ellos... Bueno, pues nada. Nos vemos entonces en el Kronen, ¿no?... Sí. Yo estaré a las siete o así... Bueno, pues luego te veo, Roberto... Hasta luego.

Cuelgo.

En mi cuarto, escucho un poco de música, tumbado en la cama. Luego me duermo un par de horas.

A las seis suena el despertador. Me incorporo: tengo la tensión baja. Me ducho. Cuando termino, aprovecho que el viejo no está en su cuarto, para pillar unos talegos sueltos que hay en su mesilla.

El escarabajo no tira casi nada. La verdad es que no entiendo cómo ha podido pasar la Iteuve.

Por la Emetreinta le cuesta pasar de los cien y tengo que circular por el carril de la derecha.

Entrando por Avenida de América, llego al Kronen en pocos minutos. No ha llegado nadie todavía, sólo Ramón, que está apoyado en la barra. Es un pseudo-jebi con coleta de pelo mal cuidado y camiseta negra de Metálica. Le pregunto por Roberto.

—Debe de estar al llegar, porque he quedado con él a las siete —dice.

Manolo me saca un pincho de tortilla y deja una papelina debajo del plato. Dice: Ahí tienes dos gramos, me pasas los papeles cuando pagues para que el viejo no se cosque. Yo pillo la papelina y me la meto en el bolsillo.

Entran Roberto, Pedro y su novia.

—Pillamos una mesa, ¿no? —dice Roberto.

—No hay ninguna libre.

Manolo le enseña a Roberto una entrada.

—Al final has decidido venirte, ¿eh?

—Pues claro, Roberto, qué te creías.

Roberto me da mi entrada. Manolo, desde la barra, dice:

—Hoy nos vamos a poner hasta la bola, muchachos, hasta la bola.

—¿Tú cómo vas a salir, si tienes que currar hasta las doce? —le pregunto.

—Hay que ser un poco monaguillo, Carlitos. Me he camelado a mi primo para que se ponga en mi lugar hoy. ¿Conoces a mi primo, no?

—No, creo que no.

—Sí, hombre, sí, Carlos. Es el que estuvo cuando la movida de aquellos tres tíos, tronco, los que sacamos a palos la semana pasada.

—Yo no estaba.

—¿No estaba éste, Roberto, cuando se armó aquí la bronca el martes?

101

—No, no estaba. Estábamos sólo el David, Raúl, el Yoni y yo.

—Pues menuda te perdiste, tronco. Espera que ahora te cuento. ¿Qué quieren por allí los jóvenes?

—Tampoco te perdiste tanto. Fueron tres tíos que entraron aquí a armar bronca...

—Eran tres críos.

—Y tú qué sabes, Pedro, si no estabas.

—Pero me lo has contado.

—Pues deja que se lo cuente ahora al Carlos y al Ramón. Bueno, os cuento: entraron los tres chavales y porque Raúl no les dejaba pasar...

—Ésos iban puestos, tronco, iban de algo.

—¿Qué pasa? ¿No me vais a dejar contar nada? Tú, ponme un güiscola y a ver si terminas rápido que tenemos que irnos.

—Yo, en cuanto entre mi primo por la puerta, me cambio y estoy listo.

—Venga, Roberto, cuenta. ¿Qué pasó?

—Pues nada, que no sé qué movida se montó el Raúl, que se mosquea con uno y va el hijoputa y le da un cabezazo, rompiéndole las gafas y todo, no te creas. En fin, que enseguida saltó el Yoni a defenderle y luego se lió el David, y al final acabamos todos, hasta con Manolo y con el otro camarero, dándoles de hostias fuera. El Manolo y su primo sacaron las porras y el Manolo rompió la suya de tanto darles. Y el Yoni se volvió loco, les empezó a dar patadas en la cabeza con sus botas camperas, mientras estaban en el suelo.

—¡Qué bruto! —exclama Silvia.

—Pero ésos, tronco, estaban puestos de algo, de tripi lo más seguro —grita Manolo desde la barra—. Si es que si no, no era posible aquello, tronco, porque, pum, les dábamos, se caían, y se volvían a levantar como zombis, a por más. Y eso que yo rompí mi porra de tanto sacudir. Que os cuente Roberto.

102

—Sí, es verdad. Les pegaban y volvían siempre a por más, así como cuatro o cinco veces, y todavía querían pelea. Era increíble. Estaban casi muertos, sangrando por todas partes. Parecía aquello el Roki.

—Lo que yo te digo, tronco. Ésos iban enfarlopados o de tripi, algo llevaban encima.

—Seguro.

—Ésos acabaron en urgencias —sentencia Manolo—. Hablando del rey de Roma, allí está mi primo. ¡Venga Álex, hostias!, ¡date prisa que tengo que irme!

El primo de Manolo entra en el Kronen, nos saluda, qué pasa muchachos, se mete en la barra. Manolo se cambia en la cocina y sale vestido de calle. Lleva vaqueros apretados, una camiseta y gafas de sol.

—Venga, coño. ¿Dónde vamos?

—Toma tus pelas —le doy a Manolo los veinte talegos de la coca.

—¿Qué es esto? Ah, gracias.

Pagamos y salimos fuera.

—Vamos a enfarloparnos, ¿no? Venga, coño, que hay que meter marcha a esta ciudad. A ver. ¿En qué coche vamos? Roberto, coño, anima esa cara, que vamos a meterte un poco de polvo por esas napias. Venga, ¿en qué coche vamos?, ¿en qué coche vamos?

—¿Cuántos coches hay? —pregunto.

Decidimos ir en dos coches: Pedro y Silvia, en el suyo; los demás, en el Golf de Roberto.

Dentro de su Golf, Roberto me pasa un mapa de carreteras.

—Pásame también un bardolo.

Roberto ha puesto una cinta de bakalao a todo volumen.

—¡MÁS ALTO, ROBERTO! ¡MÁS ALTO, COÑO! OYE, CARLOS, YO VOY A IR RULANDO UN PORRITO A LA VEZ, ¿VALE?

103

No oigo lo que me dice Manolo porque estoy ocupado poniendo rayas. Aplasto las piedritas con la hoja de la navaja y corto la coca una y otra vez para que el polvo quede fino.

—TÚ NO QUIERES, ¿NO? —le pregunto a Ramón, que dice que no con la cabeza.

Pruebo la coca con el dedo meñique y noto su sabor amargo en la lengua.

—¿QUIÉN ME PASA UN BILLETE?

Manolo me pasa un talego con el que me hago un canutillo bien tensado y me meto la primera raya. Enseguida noto cómo la coca empieza a bajar por mi garganta y cómo se me duerme el paladar. Ha sido un buen tiro y el polvo es bueno.

Roberto arranca el coche y le mete un acelerón, riendo. Pedro nos sigue, como puede.

—VENGA, ROBERTO. ¡ATROPELLA A LA VIEJA! ¡ATROPÉLLALA!

Estamos ya en la Castellana y Roberto zigzaguea entre los coches.

—¡ESPERA A PEDRO! —le grito al oído.

Ramón está algo asustado. Le dice a Roberto que conduzca con cuidado.

Estamos esperando en la puerta del pabellón y el primer subidón se ha estabilizado.

—¡QUÉ PASA, HIJOS DE PUTA. ¿NO ME IBAIS A ESPERAR?

Pedro llega con dos botellas de plástico llenas de güiscola.

—Menos mal que alguien ha pensado en la priva —dice.

Silvia me mira con ceño fruncido.

En la puerta, cachean a Roberto. Por suerte, ha dejado la navaja en el coche. Los demás entramos sin problemas.

—OYE, YO ME VOY A LAS GRADAS —dice Pedro.

—¿QUÉ? —le pregunto.

—¡QUE NOSOTROS NOS VAMOS A LAS GRADAS!

Estamos en primera fila, al lado de los bafles. Pedro se ha ido a las gradas con su novia. Ramón y Roberto mueven la cabeza arriba y abajo, agitando el pelo.

Manolo saca un cigarro, lo destripa, dejándose un filtro moro detrás de la oreja, y mezcla el costo con tabaco en la palma de la mano.

—¡HAZTE TÚ TAMBIÉN UN MAI! —me dice.

—¡PÁSAME UN CIGARRO! —le grito a Roberto.

Roberto me pasa un Marlboro.

Empiezo a bailar un poco y le digo a Roberto que hay que ir al baño para meterse otro tiro antes de que empiece el concierto.

—¡DÍSELO AL MANOLO!

Roberto le dice algo al oído a Manolo. Éste me mira y dice que sí con la cabeza. Le da otra calada al porro y me lo pasa.

Mientras esperamos para entrar en el baño, una cerda se acerca a nosotros.

Va vestida con botas altas, minifalda y chaqueta vaquera. Debajo de la chupa, lleva sólo un sujetador negro. Se para delante mío.

—¿Qué?, ¿es éste tu nuevo novio? —dice.

Rebeca mira a Roberto con cara de asco, levantando el labio. Luego se da la vuelta y se va.

—Oye, ¿quién era la piba ésa? —pregunta Manolo—, porque estaba como un queso, tronco. Tiene un polvo.

—¡Menudo elemento! —dice Roberto.

Nos metemos los tres en el váter. Manolo saca la navaja y un espejo pequeño.

—Qué apañado vas, ¿eh?

—Ya te digo, en la vida hay que estar preparado para todo. Para todo, Roberto. Y marca mis palabras, tronco.

—Ya lo veo, ya.

—Con esto vamos a dar más botes que el Fernando Martín en la Emetreinta.

Manolo apaña tres rayotes. Nos los metemos. Manolo le da un lametazo al espejo y salimos del baño. Volvemos a donde habíamos dejado a Ramón. Por el camino, veo a Rebeca entre la gente; no creo que ella me haya visto.

El pabellón está lleno. De repente, se apaga la música de fondo y la gente empieza a apelotonarse, excitada, en torno al escenario. Unos instantes después, sale Kurt Cobain, el cantante y guitarrista de Nirvana. Le siguen el bajista, que mide uno noventa y David Grohl, que se sienta a la batería. Kurt Cobain coge la guitarra, se sitúa frente al micrófono y saluda con el clásico: GOOD EVENING MADRID. Al sonar los primeros acordes de Esmelslaiktinspirit, todo el pabellón se convierte en un gran pogo. Manolo y yo bailamos como bestias. Siguen Inblum y Camasyuar. COME AS YOU ARE, AS YOU FEEL AS I WANT YOU TO BE, AS A FRIEND. Tan cerca de los bafles y con el mal sonido del pabellón, no oigo más que ruido. Yo salto y choco con todos los cabrones sudados que bailan a mi alrededor. Por un momento, me encuentro al lado de Rebeca, que también está bailando como una loca. La intento agarrar por detrás pero ella se suelta, se da la vuelta y me da una bofetada. La pierdo de vista.

Me encuentro otra vez con Manolo y con los otros. Le paso la mano por el cuello a Roberto, nos enlazamos y bailamos.

Los Nirvana están tocando ya Licium cuando decido salir un poco del mogollón y tomar una cerveza. Le digo a Roberto que me acompañe, pero pasa.

Subiendo las gradas me encuentro a Pedro y a su novia bailando cogidos de la mano. Me dicen algo, pero hago como si no les hubiera visto.

Tengo que esperar un buen rato en la barra hasta que un tío con voz ronca me atiende. Le pido una caña y me da un vaso de plástico con cerveza aguada. Luego se me queda mirando y dice algo.

—¿QUÉ?

—QUE TE SANGRA LA NARIZ, CHAVAL. TEN CUIDADO CON LO QUE TE METES.

Me llevo la mano a la nariz y me río.

Después de lavarme la cara en el baño, vuelvo al campo de batalla, donde los Nirvana tocan Dreinyu. Me abro paso a codazos hasta que encuentro a los otros. Le agarro a Roberto del cuello, cosa que sé que odia, y le doy un beso en la boca. Roberto me aparta con un empujón.

UNDERNEATH THE BRIDGE ANIMALS ARE CRAWLING... THERE IS A LEAK... IT'S OKAY WITH FISH CAUSE THEY DON'T HAVE ANY FEELINGS... UH, UH, SOMETHING IN THE WAY...

La canción es lenta y la peña ha dejado de bailar, menos Manolo y yo, que hemos abierto un círculo a nuestro alrededor. Vuelvo a ver a Rebeca entre la gente. Intento acercarme a ella pero un muro humano se interpone entre nosotros. Alguien se pone borde en el camino y me agarra por la camiseta, rompiéndola. Cuando llego a Rebeca, el concierto ha terminado. Ella me mira con ojos raros.

Sonrío.

—¿Qué quieres? —pregunta.

—Hablar un poco contigo, explicar lo del otro día...

—No hay nada que explicar, Carlos. Lo que me has hecho, no se lo permito a nadie.

Sin dejar de sonreír, intento cogerle la mano. Rebeca me da otra bofetada y uno de sus amigos, un gordo barbudo, me agarra y me empuja contra la gente que está ya saliendo del pabellón.

Fuera, tardo un poco en encontrar a los otros.

—¿Qué te ha pasado en la cara? —pregunta Roberto, en cuanto me ve.

—Menudo concierto que se ha pegado éste, tronco. Parecía un kamikaze.

Les digo que me he caído.

—Venga, vamos a tomar una copa.

Roberto dice que Pedro se ha ido a casa con su novia.

—Le faltaba fuel a ese muchacho, pero nosotros vamos a remediarlo. Vamos a ponernos por él, vamos a enfarloparnos un poco más, ¿no? —dice Manolo.

—Un concierto de puta madre —digo yo.

—Bah —dice Ramón—. Son malísimos en directo. Yo, si lo sé, no pago por verles. Además, el sonido era una puta mierda.

En el coche, Manolo corta unas rayas. Roberto pone Parálisis Permanente y Ramón le dice que quite esa mariconada, que ponga algo de Trashmetal. Roberto le responde que en su coche pone lo que le da la puta gana y, para joderle bien, cambia la cinta y pone bakalao a tope.

—¿A DÓNDE VAMOS AHORA? —pregunto.

—A MÍ ME ES IGUAL. A CUALQUIER SITIO CON MARCHA —dice Manolo.

—A MÍ TAMBIÉN —digo. Ramón no dice nada.

—¿VAMOS A MALASAÑA?

—VALE.

—PODRÍAMOS IR A CHUECA, PARA VARIAR.

—O A UNA DISCOTECA, A BAILAR.

—NO, TRONCO. VAMOS AL SAN MATEO.

—¿Y POR QUÉ NO VAMOS A LA VÍA? LA DUEÑA, LA DEL PASTOR ALEMÁN, ESTÁ BUENÍSIMA.

—A ÉSA NO TE LA PAPEAS NI DE COÑA, CARLOS.

—VENGA, DÉJENSE DE COÑAS Y BAJEN AQUÍ LAS NARICES, JÓVENES, QUE ESTAMOS YA EN FASE DE DESPEGUE. ROBERTO, NO TAN FUERTE, TRONCO, QUE TE LLEVAS LAS RAYAS DE LOS DEMÁS.

Roberto arranca. Un Ibiza en la Plaza Castilla nos pita, al abrirse el semáforo. Roberto saca el brazo por la ventanilla y enseña la barra del coche.

Manolo y yo reímos.

El San Mateo está lleno de gente.

Suena una canción de Nirvana.

—Venga, vamos a bailar —dice Manolo.

Una cerda pasa delante mío, me mira y yo le saco la lengua. Ella dice: asqueroso, y me tira una copa a la cara. Manolo se descojona. Yo voy al baño y me lavo la cara.

Al salir, Roberto y Manolo están sentados a una mesa. Manolo está rulando.

—Oye, que con esta ronda me he quedado pelado.

—Tranquilo, Roberto, que luego pagamos todos unas rondas.

—No, si lo decía porque contribuyerais porque no me...

—Roberto, no seas catalán, tronco. Toma, para que te hagas tú también un mai.

Manolo corta un cacho de costo con la boca y se lo da a Roberto.

—Perdonad, pero aquí no se pueden hacer porros —dice un barbas con coleta.

—Pero qué pasa, menda, si sólo es un porrito, tronco —protesta Manolo.

—No, si no es por mí, entiéndeme. Es porque nos han abierto ya expediente y estoy harto de pagar multas.

—Tranquilo, tronco, que terminamos de rular y fumamos fuera.

—Bueno, pero la próxima vez os lo hacéis fuera, ¿vale?

—Que sí. Qué pesao. Tú tranquilo, y métete en la barra a servir copas, que es lo tuyo.

—Oye, sin faltar, que os echo de aquí a patadas.

—Vale, tronco, ya has quedado muy bien. Ahora ábrete, que ya te hemos dicho que no vamos a fumar aquí.

—Más os vale.

El barbas se mete en la barra.

—Qué bocas el menda. Y todo esto es culpa del hijoputa del Matanzo. Hay que joderse —murmura Manolo, poniéndose el porro detrás de la oreja.

—Vamos fuera a fumar —digo.

—Espérate, tronco, que vamos a entrarles a unas pibas.

—Yo me niego a rebajarme a ese nivel —dice Roberto, con las manos en los bolsillos.

—Lo mismo digo —dice Ramón.

—Yo te sigo, Manolo.

—Pues vamos a entrarles a esas dos que hay allí en la barra, que ya han mirado varias veces hacia aquí.

Las cerdas que dice Manolo son dos pseudo-jipis con pisamierdas, chalequito y pelo largo con flequillo.

—Venga, Manolo, acabas la copa, pillas otra en la barra y les hablas, que yo te sigo.

—Estáis acabados.

—Oye, Roberto. A ti nadie te dice nada por ser tan raro. Déjanos un poco en paz.

—No os guiáis más que por la polla, no tenéis cabeza. Estáis acabados.

Manolo se termina su copa de un trago, se acerca a la barra y pide un güisqui. El camarero saca una botella de Dyc y le sirve mientras Manolo habla con las dos cerdas. El camarero se cruza de brazos, esperando, hasta que Manolo le paga. Coge el billete con cara de mala hostia y, al dejar las vueltas, da un golpe en la mesa.

Manolo sigue hablando con las cerdas.

Ahora, me hace un gesto con la mano para que vaya.

—Estáis acabados —dice Roberto.

Me acerco y Manolo me coge por el brazo. Dice:

—Éste es mi amigo Carlos. Carlos, éstas son Laura y Elsa.

Les doy dos besos a cada una. Una de ellas, la más gorda, me dice algo del concierto de Nirvana.

—Nosotras también hemos estado. ¿Te han roto la camiseta en el concierto o es parte de la estética?

—¿Tú qué crees?

—¿Cómo te llamas, que no me he quedado con tu nombre...?

Le digo cómo me llamo y ella sonríe: qué vulgar, ¿no?

—¿Tocas en un grupo? —pregunta la delgada, pero no tengo tiempo de responder porque la gorda señala algo con el dedo. Dice:

—Hey, Elsa, mira. Allí están Fernando y Álex.

Dos pijos, el uno con camisa a rayas, el otro con pelo largo y camiseta sin mangas, llegan y saludan a las dos cerdas. El de la camiseta sin mangas le da un beso en la boca a la delgada; el de la camisa a rayas me mira frunciendo el ceño.

—Carlos y Manolo —dice la gorda, sonriendo—. Les acabamos de conocer. Han estado en el concierto de Nirvana.

—Carlos toca en un grupo —añade la otra cerda.

—¿Ah, sí? —dice el de la camisa a rayas con cara de mala hostia.

—Sí. Bueno, pero ya nos íbamos. Encantado de conoceros —le doy un beso a la gorda apoyando descaradamente la lengua en su mejilla. Ella no dice nada.

—Eso os pasa por buitres, y me alegro.

—Bueno, Roberto. A veces se gana y a veces se pierde pero, si no se intenta, no se gana nunca.

—Eso —dice Manolo—. Cada polvo perdido es un polvo tirado al aire. Qué puta mala suerte, tronco, ¿eh, Carlos? Yo creo que les habíamos gustado.

—Míralas, míralas. La gorda ya se está comiendo al de rayas...

—Podíamos haber sido nosotros, ¿no?

—No sueñes, Manolo —dice Roberto—. Vamos fuera a fumar porros, que es más sano.

—Bah, las tías son todas iguales. Unas calienta-pollas.

—Vamos fuera.

Salimos.

Nos metemos por la Travesía de San Mateo. Hay coches aparcados sobre la acera. En uno de ellos, un tipo muy feo, con la puerta abierta, está poniendo bakalao a tope. Es un Geteí como el de Roberto, pero en rojo.

Nos sentamos en un soportal y fumamos. Manolo se queda de pie, moviendo la pierna a ritmo de ba-kalao. Dice:

—Pero no os apalanquéis, troncos, que hay que pi-llar todavía mucha marcha, que no son más que las dos y la noche es joven, hay que violarla. Oye, Car-los, ¿tú crees que nos podíamos haber papeado a esas dos pibas?

—Deja de dar la coña, Manolo, y fuma —dice Ro-berto.

—Sí, pero es que yo estoy cachondo y lo que me apetece es meter.

Manolo hace unos movimientos obscenos con la cadera y me pasa el porro.

—Si es que meter es lo mejor del mundo, tronco, os juro que yo me pasaría la vida metiendo.

—Estáis colgaos —dice Ramón.

—Venga, vamos al Agapo.

Bajamos por una perpendicular a Fuencarral, pa-samos una iglesia y seguimos por la calle del Espíri-tu Santo hasta la calle de la Madera, donde está el Agapo.

Entramos.

Alguien le está diciendo a la camarera que las bolas del billar no han salido. Ella coge unas llaves y sale de la barra.

Cuando vuelve, pido una ronda de güisquis.

Mientras pago, un pintas me pide unos papelillos que le doy. Luego, nos sentamos al lado del billar y Manolo dice:

—Bueno, habrá que hacer trabajar un poco las napias.

Estoy mirando al suelo, con la copa en una mano. Algo alucinado, veo cómo unas botas Santiago se acercan, se paran delante mío y me hablan.

—Qué pasa, Carlos —dicen.

Levanto la cabeza y veo a Herre, el ex novio de mi hermana, con su tupé y sus patillas. Al lado suyo está Santi, el batera de su grupo.

Me levanto y me pongo a hablar con ellos. Santi tiene el aire algo ido.

—¿Qué le pasa a Santi? —le pregunto a Herre—. Está muy raro.

—Qué va, está normal. Siempre está así desde que tuvo su accidente.

—¿Qué accidente?

—¿No te lo he contado nunca? Pues el Santi, que estaba muy puesto, iba de tripi, y le dio por torear coches. Y hubo uno que le atropelló, sabes. El Santi se quedó en coma y casi no lo cuenta. Vamos, fue con las pelas del seguro con las que se pudo comprar la batería, pero ya ves, está siempre medio ido.

—¿Tienes un papelito? —pregunta Santi, metiendo cuchara en la conversación. Yo le doy un papel y le digo algo. Él me mira y sonríe, sin contestar.

—Ya le ves. Está ido. Y fuma porro tras porro, sin parar, sabes, porque no puede beber ni meterse nada más, que eso no le dejamos los colegas.

—Pues tiene una copa en la mano.

—Es una coca-cola. El médico le ha prohibido terminantemente beber.

—Menuda movida. Y vuestro grupo, ¿qué tal?

—Bien, ahí estamos, tocando y tocando, sabes, cada vez nos compenetramos más. Miki ha mejorado muchísimo la voz.

Manolo me da un toque en la pierna y me doy la vuelta.

—Vente pal baño —dice. Le digo que me espere un momentito y me despido de Herre.

En el baño, que está lleno de graffittis, Manolo saca el espejo.

—¿Y Roberto?

—Roberto dice que está bien, no quiere meterse más.

Manolo pone dos rayas y salimos del baño esnifando.

El Herre y el Santi se han sentado en una grada. Herre está con una tía morena, que está muy buena.

—Te sangra la nariz —me indica Roberto.

—¿Otra vez? —me llevo la mano a la nariz y me levanto para ir a limpiarme.

En el baño, un tío pota sobre el váter. Cuando se incorpora, se tambalea y se cae al suelo. Yo le ayudo a ponerse en pie y le empujo fuera. Luego, me sueno la nariz con agua y me miro al espejo. Veo dos ojos vidriosos y muy rojos. La imagen sonríe estúpidamente hasta que frunzo el cejo y enseño los dientes con un gruñido.

Al salir de nuevo, veo cómo el de la puerta agarra por el brazo al que estaba potando en el baño y le echa a la calle.

Vuelvo a donde están los otros.

Manolo está hablando con una cerda.

—Mira, Carlos, tronco. Es una yanqui y se llama Joli. ¿A que está como un queso?

—¿Estoy como qué? —pregunta ella con acento guiri muy marcado.

—Que estás muy buena, muy guapa —dice Manolo.

—Grasias.

Un momento después, Manolo se está morreando con la americana.

—Qué fiera, ¿no? —le digo a Roberto.

—Dais asco. Lo único que buscáis es un agujero para meter. Os pasáis el día persiguiendo cerdas, ofreciendo la polla a la primera que pasa. Anda, dame un cigarro, que voy a rular.

—No tengo.

—Pues pregúntale al Manolo o vete a la máquina.

Voy a la máquina y echo doscientas pelas para sacar un Fortuna. La máquina me devuelve veinticinco.

—Gracias, su tabaco.

Cuando vuelvo, Manolo le está metiendo mano a la americana.

Me siento y le doy un cigarro a Roberto.

—Hey, Roberto, ¿nos movemos o le sujetamos las velas a Manolo?

—Yo quiero irme ya a casa —dice Ramón.

—Pero, Ramón. Si no son ni las cuatro —digo.

—Pero yo no estoy puesto y estoy cansado.

—Déjale al chaval que se vaya, si quiere.

—Sí. Pero tú y yo seguimos de marcha, ¿eh, Roberto?

—Pero nada de entrar a tías, ¿eh?

—Vale.

—Roberto. ¿Me puedes acercar a casa? —dice Ramón.

—Quédate un poco más y te acerco dentro de una horita o así.

—Pero no más de una hora, ¿vale?

—Si quieres que te lleve, te quedas hasta que me apetezca y no me jodas la noche.

—Si lo llego a saber, hubiera traído mi coche.

—Haberlo traído.

Ramón se levanta y se va del Agapo.

—¿Qué mosca le ha picado a ése? —le pregunto a Roberto.

—Nada, que es un niño mimado. Lo mejor es pasar de él. Déjale que se vaya.

—¿Nos vamos nosotros también?

—Nos vamos.

Nos levantamos para irnos, pero Manolo me agarra del brazo.

—¿Dónde vais? —pregunta.

Le digo:

—Pues no sé, te íbamos a dejar un poco solo.

—Esperad un momento, que voy con vosotros. Eh, Joli, ¿te vienes conmigo y con mis colegas?

—Tengo desir adiós amigos.

Joli habla con los corbatos que están jugando al billar.

—¿Y ésos quiénes son? —le pregunto a Manolo.

—Unos compañeros de trabajo. Me cago en Dios, tronco, qué cachondo estoy, no te lo puedes creer.

—¿Qué hace?

—Es profesora de inglés, pero eso es lo de menos, lo que importa es que es un chocho.

Joli vuelve sonriendo.

—¿Nos vamos? —pregunta.

Manolo la agarra por la cintura.

Antes de irme, les digo adiós a Herre y a Santi.

Roberto espera en la calle.

—Bueno, ¿a dónde vamos? —dice.

—Vamos al Huarjols, ¿no? —dice Manolo.

—Venga, pues vamos al Huarjols.

—Pero antes, jóvenes, habrá que enfarlopar un poco a Joli, ¿no creéis?

—¿Qué es eso? ¿Qué es enfarlupar?

—Cocaína, nena, cocaína.

—Ah, coke.

—Venga, vamos primero a tu coche, Roberto.

Dentro del Golf, nos metemos unos tiros. Manolo dice:

—Venga, quesito. Aspira así fuerte, que vas a ver lo que es bueno.

Yo le pregunto a Roberto si tiene un Klínex y me limpio la sangre que me chorrea de la nariz.

El Huarjols está en la calle Luchana. Es una discoteca con música entre el After-punk tipo De Quiur, Depesh Mod, y el bakalao. Suena el último disco de De Quiur y yo me pongo a bailar. Manolo continúa dándose el palo con Joli. Al cabo de un rato, se acerca y dice:

—Me voy con ella a su apartamento. ¿Vale, jóvenes?

Roberto y yo, que estamos muy puestos, nos quedamos.

—¿Seguro que no quieres que entremos a unas tías? —le pregunto a Roberto, que dice que no, así que decidimos jugar al billar.

Me encanta jugar al billar cuando estoy puesto, porque me fascinan los colores de las bolas. Hay una cerda que me mira mucho, y se lo comento a Roberto, que me dice que soy un pesado, siempre piensas que todo el mundo te mira. Yo le digo que es un reprimido y él dice: bah.

Cuando terminamos de jugar, bailamos hasta cansarnos.

El tiempo pasa rápido cuando se está colocado. Son ya las ocho pero, como nos hemos puesto hasta la bola, no podemos dejar de movernos.

—¿Dónde vamos ahora, Roberto?

—Vamos a pillar un chocolate con churros en el Santander, ¿no?

Es ya de día y estamos fuera del Huarjols.

—Podemos desayunar un chocolate con churros y luego darnos un baño en mi piscina.

—Vale.

El Santander está todavía cerrado. Para entretenernos, mientras esperamos a que abran, nos ponemos a jugar un calientamanos y acabamos los dos con las manos rojas.

—¿Y si pillamos unos travelos, ahora que estamos todavía un poco cachondos? —dice Roberto.

—A mí se me ha bajado el punto. Además, no me gustan los travelos.

—Venga, tanto entrar tías, tanto entrar tías, ¿y no te apetece que te hagan una mamada? Anda ya...

Roberto termina por convencerme y vamos a Castellana en su coche. Allí, se para delante de un travelo que lleva un traje amarillo muy ajustado. Yo bajo la ventanilla y el monstruo se acerca.

—¿Cuánto por un francés? —dice Roberto.

—Tres mil cada uno, o sea, seis mil por los dos. ¿Tú eres un tío, mono? —me pregunta con voz grave y viril.

—¿Y tú qué eres? —le pregunto yo.

—Déjanoslo en cinco los dos —dice Roberto.

—No, no puedo. Siempre pasa igual.

Roberto empieza a arrancar. El travelo grita: ¡espera!, y se acerca otra vez.

—Vale, cinco los dos franceses.

Roberto le dice que suba. El travelo se mete en el asiento de atrás.

—¿Dónde vamos? —pregunta Roberto.

—Sigue por ahí delante, monada. Yo te indico.

Llegamos a una callejuela donde no hay mucha gente y Roberto para el motor del coche.

—Las pelas, bonitos.

Roberto le da un billete de cinco mil.

—Bueno, ¿con quién empiezo? Lo mejor es que os vengáis aquí atrás. ¿Quién viene primero?

Roberto sale y levanta su asiento para meterse en el de atrás.

—¿No te importa que vaya yo primero?

—No, claro que no.

Pongo una cinta de Siniestro Total, mientras

oigo a Roberto jadear. TE MATARÉ CON MIS ZAPATOS DE CLAQUÉ... TE DEGOLLARÉ CON UN DISCO DE LOS ROLIN ESTONES O DE LAS RONETES... Y BAILARÉ SOBRE TU TUMBA. Roberto se corre enseguida y el travelo me toca el hombro para indicarme que es mi turno. Abro la puerta y me meto atrás. Roberto se sienta delante, quita la cinta de Siniestro y pone bakalao. Yo cierro los ojos mientras el travelo me desabrocha los pantalones y empieza a comerme la polla; enfarlopado como estoy, tardo también muy poco en correrme.

El travelo se limpia la boca con un pañuelo sucio y dice:

—Bueno, dejadme aquí mismo que vuelvo a pata.

Sale del coche y se va, tambaleándose, con movimientos de yonqui.

—Bueno, ¿te ha molado? —pregunta Roberto.

—No ha estado mal.

—Anda, vamos a tu casa a tomar un baño.

—¿No tomamos chocolate?

—Que tu china nos haga un desayuno, ¿no te parece?

—Espera. Cojo mi coche, que está en el Kronen y me sigues, ¿vale? Así no tengo que traerte y tú puedes volver solo a casa.

Cogiendo la Castellana, pasamos por debajo del túnel de Plaza de Castilla y salimos a la Nacionaluno. Roberto me sigue en su Golf.

Al llegar a casa, abro el portón con el mando a distancia y aparco dentro.

La perra ladra al oírnos entrar.

—Tendré que dejarte un bañador —le digo a Roberto.

Mientras nos cambiamos, veo que Roberto tiene una polla bastante grande. Hago un comentario y se ríe, sacudiendo su miembro de una manera algo obscena.

Salimos a la piscina.

El agua está helada, meto un pie y digo: uff. Roberto se tira de cabeza.

—Tírate ya, no seas cobarde —dice, salpicándome.

Me tiro de cabeza y empiezo a nadar con furia.

—¡Una carrera! —grito.

Nos picamos y hacemos uno, dos, tres largos. Luego salimos, más cansados que la madre que nos parió, aunque yo todavía me siento enfarlopado.

—Vamos a correr alrededor de la piscina —digo.

Nos ponemos a correr como locos

Cuando paramos, estamos empapados en sudor.

Miro el reloj: son las diez.

Un poco después nos metemos en casa y le digo a la fili que nos ponga el desayuno.

—Tenéis esclava —Roberto se ríe.

Tina nos trae el desayuno y comemos ávidamente.

—¿Te queda algo de coca? —pregunta Roberto.

—Casi nada.

—¡Qué putada!

—¿Crees que te podrás dormir?

—No, no creo.

—Pues vamos abajo y jugamos al ordenador.

—Podríamos ponernos algo más, ¿no crees?

—No, porque no tenemos suficiente para enlazar con esta noche. Lo mejor que podemos hacer ahora es cansarnos hasta poder dormir.

Bajamos al salón de abajo y jugamos al Super Mario Tres. Roberto es mucho mejor que yo y se hace casi todas las pantallas, mientras que yo no llego más que a la sexta.

Cuando mi hermano se levanta, a las doce, estamos todavía jugando.

—¿Pero qué hacéis despiertos tan pronto? —pregunta.

—Mierda —exclama Roberto. Le acaban de quitar una vida.

—Me toca a mí, te jodes.

A la una, Roberto decide que empieza a tener sueño y dice que se va a casa.

—Te acompaño al coche —digo. Roberto se ha vestido pero yo todavía estoy en bañador.

En su coche nos fumamos un último porro.

—A ver si Miguel pilla hoy —Roberto tiene los ojos rojísimos—. Esto ya está mejor. Ya estoy más tranquilo y casi no me ha dado bajón.

—Oye, Roberto, ¿por qué no te quedas a comer, que hay paella, y de paso te presento a mi perra y te la follas?

—No digas burradas. Además, tengo que irme.

—Que sí, que sí. Si no quieres paella, puedes comer cangrejo y también te follas a la perra.

—Que no, que tengo que irme.

—Bueno, bueno, tú te lo pierdes, joder. Es un pastor alemán fenomenal.

Me despido de Roberto. En casa, me tumbo en el sofá del salón.

La vieja, al verme, dice:

—Pero qué ojos tienes, Carlos. No deberías beber, que ya sabes que a ti te sienta muy mal el alcohol. Espero que no conduzcas borracho. Hay tantos accidentes por la noche y casi todos los que se matan son chicos jóvenes...

—Sí, mamá.

Cuando se van los viejos, consigo cerrar los ojos, pero no puedo dormirme porque tengo algo de bajón y estoy temblando.

Es sábado.

VIII

Al mediodía nos sentamos a comer.

—Carlos está muy pálido hoy —dice mi hermano.

—Sí. No tiene buena cara —dice la vieja.

—Yo le he visto por la mañana, jugando al ordenador con su amigo ése, el de la perilla.

—¿Qué hacía tu amigo contigo tan temprano, Carlos?

—Le dije ayer que se quedara a dormir.

Me concentro en el telediario: la llama olímpica ya está en Madrid, donde el rey ha hecho un relevo simbólico. Luego, una gimnasta sale con la dichosa antorcha hacia algún otro lugar. Creo que mañana va a Sevilla.

Cuando termina el telediario, me levanto de la mesa y digo que me voy a acostar un rato.

—¿Estás mal? ¿Te pasa algo? —pregunta la vieja.

—Estoy cansado, eso es todo.

Mientras me voy a mi habitación, suena el teléfono.

—CARLOS. PARA TI —grita el enano.

—¿Quién es?

—Roberto.

¿Sí?... Qué pasa, Carlos. ¿Qué haces?... Pues ahora

iba a dormir una siesta... ¿No has dormido todavía?... No. Todavía no... Estás loco, tío. Yo acabo de levantarme ahora, y como una rosa... ¿Sí?... Bueno. He llamado a Miguel y me ha dicho que no ha podido pillar y que hasta el miércoles no ve al Niñas en el trabajo... ¿Y?... Es que nos queremos ir de acampada el lunes y no queda costo... ¿Y qué quieres que le haga yo?... ¿No se te ocurre nadie que pueda pasarnos?... ¿Manolo?... No. Él sólo pasa coca... Pues lo único que se me ocurre es llamar al ex novio de mi hermana, al que vimos ayer en el Agapo... ¿Le puedes llamar ahora?... Más tarde. Ahora tengo que dormir la siesta... Pero no le llames muy tarde, que saldrá. Le dices que queremos veinticinco, ¿vale?... Ya se lo digo y a ver si hay suerte... ¿Y lo de la película?... Eso olvídalo. Hala, que estoy cansado, Roberto. Te llamo más tarde... Antes de las nueve, si puedes... Hasta luego, Roberto.

—¿Quién era? —pregunta la vieja.

—Un amigo.

—¿Y qué quería?

—Nada importante, mamá.

Pongo el despertador a las ocho y me duermo.

Cuando suena la alarma, me despierto. Estoy algo desfasado y no puedo recordar si estamos a sábado o a domingo. Me restriego los ojos y me incorporo en la cama. No se oye nada de ruido en la casa. Los viejos deben de haber salido, así que aprovecho para liar un porro. Cuando termino de fumar, toso un poco. Luego, me levanto y voy al salón, donde la fili está limpiando los cristales.

—¿Ha llamado alguien, Tina?

—Sí. Ha llamado Amilia.

La muy puta ha llamado. Ya era hora.

—¿Cuándo ha llamado?

—Cuando durmiando.

Cojo el teléfono y llamo a Herre.

Hola. ¿Está Manuel, por favor?... Sí. Soy yo... Qué tal, Herre, soy Carlos, el hermano de Nuria... Ah, hola. Qué tal, Carlos, qué pasa... Pues nada, te llamo para pedirte un favor... ¿Qué favor?... Mira, resulta que hay un amigo que se va de acampada el lunes y necesita pillar este fin de semana... Eso, lo que pasa es que lo tienes que hablar con Santi, que es el que controla el tema, sabes... ¿No podrías llamarle a ver?... No sé. Puedo intentarlo... Pregúntale y me haces un favor... Bueno, mira: ¿tú estás en tu casa ahora?... Sí... Pues voy a darle un toque y, si le pillo, te llamo ahora, ¿vale?... Vale. Gracias, Herre... Hasta ahora, Carlos... Hasta ahora.

Cuelgo y pongo el vídeo.

Al cabo de unos minutos suena el teléfono. Le doy a la pausa del vídeo.

¿Sí?... Oye, ¿quién eres? ¿Eres Carlos?... Sí... Hola, Carlos, ¿qué tal? Soy Martina, tu prima. ¿Qué tal estás, hijo? Que hace mucho tiempo que no nos vemos, primo... Ya... ¿Y qué tal? ¿Estás todavía en la Autónoma?... Sí... ¿Has aprobado todo?... Pues sí... Qué suerte, hijo. ¿No estás contento?... Sí... Pues nada, primo. A ver si quedamos un día, que nunca nos vemos por Madrid... A ver... Oye, Carlos. ¿Está tu hermana?... Está en Francia... Ah. ¿Ya se ha ido?... Sí, ayer por la tarde... Pues nada. Es que estoy algo preocupada porque había quedado en llamarla antes de que se fuera y no pude porque tuve que ir a la fiesta de Juan Quevedo. ¿Le conoces?... No... En fin, que no la pude llamar y me he quedado un poco preocupadilla por si se lo toma a mal. ¿Te ha comentado a ti algo?... Yo no sé nada, Martina... Pues era sólo para disculparme así que, si llama, se lo dices. ¿Vale?... Sí, no te preocupes... Pero no te olvides, ¿eh?... No. No me olvido... Pues nada. A ver si quedamos un día los primos, ¿eh? Hala. Hasta luego, Carlos... Hasta luego.

124

Cuelgo y quito la pausa del vídeo. Dos minutos después vuelve a sonar el teléfono.

¿Sí?... Oye, ¿Carlos?... Sí, soy yo. Qué tal, Herre. Cuéntame... Ya he hablado con el Santi y dice que sí, que no hay ningún problema... ¿Cómo quedamos mañana?... ¿Tú sabes dónde está mi casa?... Más o menos... ¿Conoces la Ronda de Valencia?... Sí... Pues quedamos mañana en el Cajamadrid de Ronda de Valencia. ¿Vale?... ¿A qué hora?... ¿A las ocho te viene bien?... A las ocho, vale. Allí estaré. Y gracias, Herre... Hala. Hasta mañana... Adiós, Herre.

Llamo a Roberto y me coge su madre.

Hola. ¿Está Roberto?... Sí. Ahora mismito se pone... ¿Roberto?... Sí... Que soy yo... Qué pasa... Qué pasa. Que nada, que ya he hablado con éste y me ha dicho que sí. He quedado mañana con él a las ocho... ¿Dónde has quedado?... Por Atocha Yo pasaré por tu casa como hacia las siete y media. ¿Vale?... Vale. Oye: ¿esta tarde vas a salir?... No. Estoy muy acabado. Hoy me voy a acostar pronto... Pues nada, era para quedar y eso. Pero ya nos vemos mañana... A las siete y media estoy en tu casa... Bueno. Descansa bien, Carlos... Hasta mañana, Roberto... Hasta mañana.

Vuelvo a poner la película. Cuando la hermana de Otis está hablando por primera vez con Jenri, suena el teléfono de nuevo.

¿Sí? ¿Quién es?... Hola. ¿Está Carlos, por favor?... Sí, hola Amalia, ¿qué tal estás?... Yo, bien. ¿Qué tal estás tú?... Hombre, no tengo la suerte de tener un novio que me amenace con suicidarse cinco días a la semana pero, bueno, tampoco me aburro... Calla, que no tiene nada de gracia el tema... A mí sí que me parece gracioso... Tú es que eres un poco pervertido... Me encanta cuando me dices eso.... Estás loco... Bueno. Llamabas para insultarme o para decirme algo más... Llamaba para decirte que necesito verte. ¿Por qué no te pasas hoy por mi casa?... Espera un momento que consulte mi agenda. Hoy había quedado para salir con... Mis padres se han ido todo el fin de semana y yo quiero que vengas. ¿Te vienes o no?... No sé, no sé. Lo estoy dudando... Venga. Que te hago de cenar... Pero si tú no sabes cocinar... ¿Que no? Ya verás. Te pasas sobre las nueve y media o diez. ¿Vale?... Lo pensaré... Hasta esta noche.

Otis está ahora intentando violar a su hermana y, ¡mierda!, otra vez el puto teléfono.

¿Sí?... Hola, Carlos. Soy Nuria. ¿Están mamá y papá?... No, no están. Están en el Centrocomercial... ¿Sabes a qué hora van a volver?... Ni idea... Pues diles que me llamen esta noche antes de las diez, pero no más tarde, que, si no, no me pasan el mensaje, ¿vale? ¿Todo bien por allí?... Pues sí, como siempre... ¿Seguro que no ha pasado nada malo?... No. ¿Qué podía pasar de malo?... Es que, como me ha llamado papá ayer dos veces y esta mañana otra vez, he pensado que igual había pasado algo... Pues que yo sepa, no. Vamos, creo que tu habitación sigue estando donde siempre, no ha habido terremotos ni... No te pongas gracioso, Carlos, que se me acaba la tarjeta. Voy a tener que colgar ya. No te olvides de darles el recado a papá y mamá, ¿eh? Hala, hasta luego, Carlos... Hasta luego.

Ésta vez dejo el teléfono descolgado. Estoy harto de hacer de contestador automático.

Antes de salir, meto un par de condones en la cartera, me pongo una raya con lo que queda de la coca de ayer y lamo bien el interior de la papelina.

Amalia contesta por el telefonillo y me abre la puerta del portal. Entro y cojo el ascensor. En el séptimo piso, Amalia me espera en la puerta, sonriendo. Me da un beso en la boca y dice:

—Pasa.

Sus hermanos y el novio de su hermana están viendo la tele en el salón.

Amalia me ofrece un güisqui y me pregunta si he traído costo.

—No.

—¿Y coca?

—Tampoco.

—Es una pena. Alberto tampoco ha podido pillar hoy.

—¿Decíais algo de mí? —pregunta Alberto desde el sofá, volviendo la cabeza.

—Decía que no has podido pillar coca.

—Ah, no. No ha habido suerte. Lo que sí que puedo hacer es volver a casa y ver si le pillo marihuana a mi hermano.

—Eso sería de puta madre, Alberto.

—Hala, tía, Amalia. No vas a hacerle volver a su casa sólo para que traiga para fumar —dice la hermana de Amalia.

—Vale, tía. Tranquila que sólo proponía.

—Yo, si queréis, voy...

—No digas gilipolleces, Alberto. Tu casa está en el culo del mundo.

—Que no, Alberto. No te preocupes, anda, que de todas maneras, vamos a comer ahora.

—¿Has cocinado algo? —pregunto.

—¡Qué va! ¡Que te crees tú que mi hermana va a cocinar! Ha encargado unas pizzas por teléfono.

Amalia me guiña el ojo y se ríe.

—Comemos aquí mismo, en el salón. ¿No os parece? —dice el hermano pequeño de Amalia.

Amalia calienta las pizzas en el microondas y las corta en pedazos. Comemos en el salón, cogiendo las pizzas con servilletas. La tele sigue encendida y la Emeteuve pasa un vídeo de Madonna: Laikaviryen.

—A ti te dieron de hostias el verano pasado en Santander, ¿no? —pregunta el hermano pequeño de Amalia.

—Sí.

—Venga. Cuéntanos la pelea —dice Amalia.

—Eso, cuéntanos la pelea —dice Alberto.

Tras hacerme de rogar un poco, les cuento la pelea.

—¡Qué hijo de puta! —exclama Amalia, cuando termino.

—Si es que todos en esa ciudad son iguales, unos fachas.

—A Alberto también le cayó una buena a la salida del Más Allá. ¿Os acordáis?

—Cómo no me voy a acordar. Todavía siento los puntos en la cabeza...

—Lo que pasó fue que estábamos en la fiesta de la espuma y, a la salida, a Alberto, que iba un poco borracho, se le ocurrió la brillante idea de pillar un fajo de entradas y entonces el de la puerta...

—Un tío tocho de casi dos metros.

—...le cogió por el hombro y le dio una hostia en la cara que le abrió todo el labio. Alberto se cayó y quedó inconsciente...

—Me di con la cabeza en el suelo.

—Y se armó una bronca que no veas: mi hermana saltándole al portero, que le mato, que le mato, el portero que le pega...

—¿Le pegó a tu hermana?

—Sí. Y me pegó a mí también el hijoputa...

—Y a Coque también, que salió a protegernos .

—¡Qué vergüenza! Yo gritando como una histérica que le iba a matar, que me dieran un cuchillo...

—Y luego, cuando vino la ambulancia, tuvimos que ir al hospital y pasamos allí toda la noche.

—Si es que Alberto tiene una mala suerte... Siempre le pasa de todo.

—No tienes suerte, Alberto.

—Bueno. Según como se mire. Cada cruz tiene su cara. Ahora cuando tenga lugar el juicio, veremos...

—Pero no seas iluso, Alberto. Que te crees tú que vas a ganar el juicio. No ves que seguro que el tío ya te ha denunciado primero, por robar las entradas. Es su trabajo. No tiene más que decir que te estabas poniendo violento o cualquier historia así... Desengáñate. No te van a dar ni un duro.

—Venga, tía, Amalia. Ya hemos discutido bastante sobre eso. No te pongas ahora en plan anarca y pásame la botella de Huaitlabel. Vamos a acabar aburriendo a Carlos con nuestras historias, que son siempre las mismas...

—Qué va, qué va...

—Espera. Pon la tele más alta, que están pasando un vídeo de Depesh Mod.

—A Coque le encanta Depesh Mod. Sabe tocar todas sus canciones en el piano.

—Pues a mí me parecen unos mediocres. No comprendo por qué tienen tanta fama ahora.

—Callad un poco que no oigo.

—Oye, que estamos en el salón, Coque. Si quieres ver vídeos, te vas a tu cuarto y te pones tu propia tele.

—Calla, joder.

—Qué mimado estás, Coque.

—Déjame en paz, Amalia.

—Pásame, al menos, tu plato, que voy a recoger un poco.

Amalia se va a la cocina. Su hermana y Alberto se levantan.

—Bueno. Nosotros vamos a salir. Hasta luego, Carlos.

—Hasta luego.

Me siento en el sofá y le doy un trago a mi copa. Coque está viendo en la Emeteuve un vídeo de Héroes del Silencio.

—Jo, si es que son cojonudos.

Amalia entra de nuevo y me coge la mano.

—Ven, vamos a mi cuarto —dice.

Amalia cierra la puerta de su habitación con llave, me empuja contra la pared, me besa y se frota contra mí hasta que me pongo cachondo. Luego se quita la camiseta, me quita a mí la mía, me mordisquea los pezones y me acaricia el pecho, descendiendo hacia mi bragueta mientras yo le paso la mano por el pelo. Me baja los pantalones y yo comienzo a desabrocharle los suyos pero ella dice: espera, se aparta de mí y saca una papelina de un cajón del escritorio.

—¿Es coca?

—Sí, pero queda muy poquito. Ven. Túmbate sobre la cama..

Tumbado boca arriba sobre la cama, observo cómo Amalia se quita los pantalones y las bragas sonriendo. Después, me echa algo de polvo en el capullo, me mama un poco. Mi excitación sube tan vertiginosamente que, en unos segundos, me corro con un gemido, sin poder controlarme. Amalia se limpia la cara, me dice que no me preocupe, que es normal, y me agarra las manos mientras me folla poco a poco. Yo siento que mi erección todavía se mantiene a pesar del primer orgasmo. Amalia me morrea, deja caer su pelo suelto por encima de mi cara, empieza a moverse cada vez más rápido.

—Quédate quieto —dice.

En la misma posición, estoy a punto de tener un segundo orgasmo pero Amalia me dice que espere. Me suelta una mano y se toca el clítoris.

—¿Estás listo? —pregunta.

Yo respondo que sí, porque estoy a punto de estallar. Ella me vuelve a coger la mano y, moviéndose brutalmente, me murmura al oído: córrete, córrete, córrete, Carlos. No puedo evitar correrme por segunda vez

—¿Te ha gustado? —pregunta Amalia. Respondo que sí, jadeando todavía un poco.

Estamos los dos sudados.

Ella se tumba a mi lado y comienza a tocarme. Yo le digo que no voy a poder correrme otra vez pero ella insiste. Con algo de esfuerzo, noto que mi polla se endurece de nuevo. Amalia, que debe de estar enfarlopada a tope a juzgar por lo cachonda que está, me pone el chocho encima de la cara, y comienza a mamarme otra vez. Yo le como el sexo hasta que noto que su vientre se contrae y su coño empieza a golpearme la cara. Poco después dice: para, para, y saco el dedo que tenía metido en su culo. Ella sigue comiéndome la polla con voracidad y me concentro hasta que, con bastante dolor, alcanzo un tercer orgasmo.

Amalia se levanta, va al baño y escupe en el lavabo.

Al volver, tiene un hilillo de líquido que le resbala por el muslo. Sonriendo, se sienta a mi lado en la cama.

—¿Has tenido alguna noticia del Chus?

—No me hables de ese hijoputa. Todo lo que quiero ahora es olvidarle.

Hay un silencio momentáneo.

—Perdona. Es que todavía me duele. Y lo peor es que el cabrón ha conseguido que todo el mundo piense que soy una puta, que yo soy la mala y que él es el bueno. Pobrecito Chus, pobrecito Chus. Tendrían que haberle visto cuando me daba de hostias. En fin. Ahora me siento más libre.

Amalia se levanta de la cama y busca sus bragas.

—Es mejor que te vayas —dice.

Antes de irme, quedamos en vernos el lunes para ir al concierto de Elton Yon.

Un cuarto de hora después, estoy en la calle buscando mi coche.

Son las dos. Espero que hoy pueda dormir bien.

IX

La antorcha olímpica ha llegado a Sevilla. ETA ha
vuelto a plantear proposiciones de negociación política con el gobierno y se recuerda que la última
bomba que pusieron en Madrid fue en Jumbo. El siguiente reportaje es sobre el problema de la droga.
Los drogadictos comienzan a los veinte años y ter-
minan a los treinta: una corta carrera llena de som-
bras. Un yonqui, de espaldas a la cámara, hace unas
declaraciones: ahora, el que tiene billetes, se mete
coca, o, si toma caballo, se lo mete con plata, lo
fuma, ¿sabes? Ya cada vez hay menos que llegan a la
vena. A continuación, se habla de la huelga de los
camioneros franceses por la dichosa historia del carné de conducir de puntos. El año que viene, Galicia
quiere conmemorar el año jacobeo. Fraga le ha pe-
dido a Julio Iglesias que sea el portavoz ante el mundo del evento gallego.

—¡Carlos, coño! Haz caso a tu hermano, que te
está preguntando algo.

—¿Qué quieres, tú?

—Que si me acercas a Herrera Oria, que he quedado con María.

—¿Ahora mismo?

—Dentro de media hora.

—Sí.

—Oye. Cambiad de canal, que ya ha terminado el telediario.

—Carlos.

—Ahora te acerco, pero déjame que haga una llamada primero, joder.

—No hables tan mal, Carlos.

—Que me dejes en paz, mamá.

Cojo el teléfono y llamo a Nuria González.

Hola. ¿Está Nuria, por favor?... Sí, espera, que ahora mismito se pone. ¿De parte de quién?... De Carlos... Ahora se pone, Carlos... Hola, Carlos. ¿Qué tal estás? Has tenido suerte de encontrarme porque acabamos de bajar de la sierra ahora... ¿Estás con tu novio?... Sí. Estábamos ahora leyendo una obra de teatro... Qué pasatiempos tan cultos... No seas sarcástico, Carlos... Bueno. ¿Quedamos para comer mañana?... ¿No habíamos dicho que íbamos al cine?... Sí. Pero es que he quedado para ir al concierto de Elton Yon... Ah, ya... Podemos comer juntos, de todas maneras... Sí, bueno. Yo hubiera querido que vieras conmigo la película de Telmayluis, que es preciosa, pero bueno. Otra vez será... ¿Te parece si vamos a un chino?... ¡Me encantan los chinos! Tengo muchas ganas de verte porque el otro día me encontré con Nacho... ¿Con quién?... Con Nacho Sopena, el que juega en el Estudiantes, el hermano de tu amigo Julián, de Santander, y, bueno, estuvimos hablando de ti... ¿Ah, sí?... Sí. Eso me ha hecho pensar mucho en ti últimamente... Bueno, pues mañana nos vemos y hablamos, ¿vale?... Muy bien... Hala. Hasta mañana, Nuria... ¿Te acuerdas todavía de dónde vivo?... Sí, Colombia. Número... Número diez, sexto derecha... Colombia diez, sexto derecha... No te olvides... No me olvido. Nos vemos mañana, Nuria... Un beso y cuídate mucho.

Cuelgo.

El enano está esperándome para que le lleve.

—¿Dónde quieres que te lleve? —pregunto.

—A la Vaguada.

Le llevo a la Vaguada.

Al volver a casa, me acuerdo de que he quedado con Roberto para pillar. Le llamo.

Oye, ¿Roberto?... Sí... Que paso por tu casa a las siete y media, como habíamos quedado... Vale... Hala, hasta ahora.

En mi cuarto, me tumbo en la cama, me pongo los cascos y cierro los ojos. Últimamente tengo ideas algo macabras en la cabeza. Debe de ser por ver tantas películas de psicópatas. Comienzo a preguntarme qué se sentiría matando a alguien. Según Beitman, es como un subidón de adrenalina brutal, como una primera raya. Sonrío.

A las siete menos cinco, me ducho y me preparo para salir.

Veinte minutos más tarde, estoy dentro del escarabajo. Hace calor y tengo la espalda empapada en sudor. El puto coche no quiere arrancar y estoy pensando en llamar a Roberto, para que me venga a buscar.

A la octava intentona, el coche arranca.

Por la Emetreinta mantengo una media de ochenta. El coche petardea mucho y tengo cada vez más miedo de que me deje tirado.

Aparco enfrente del portal de Roberto, en segunda fila.

—Ya, ya bajo —suena la voz metalizada de Roberto por el telefonillo.

Minutos después, sale del portal con el caset de su coche debajo del brazo.

—Qué calor, ¿eh? ¿Dónde has aparcado? —pregunta.

—Ahí —señalo el escarabajo—. Está jodido. Mejor vamos en tu coche.

—Vale. Pero vamos a aparcar bien el tuyo.

El escarabajo arranca a la tercera. Damos una vuelta a la manzana y encontramos un sitio. El coche se vuelve a calar.

—Pues sí que anda jodidillo tu carro.

—¿Tú entiendes algo de mecánica, Roberto?

—¿Yo? Qué va. Cuando tengo alguna movida, se lo llevo al del garaje y punto. ¿Para qué te vas a preocupar de más?

Vamos al garaje donde Roberto aparca su Golf. Hace un calor infernal. Roberto pone el aire acondicionado y mete el caset en su sitio.

—Oye este grupo, a ver si te gusta —dice—. Mira qué bajo.

—Ya.

—Si es que son buenísimos. Me los grabó Ramón el otro día y ya voy a comprarme todos sus discos. A ver si tú sales del agujero en el que te ha metido Dedé, que te está comiendo la cabeza.

—¿Cómo se llama este grupo?

—Fugazi.

Roberto pregunta a dónde vamos.

—A la Ronda de Valencia.

—Ni puta idea de dónde está eso.

—Pasada la Glorieta de Atocha, tirando hacia Embajadores.

—Yo, ya sabes que más allá de Cibeles, me pierdo. Eso es otra ciudad. Eso es Madrid Sur, el reino del Atleti.

Alcalá, Cibeles, Neptuno, pasamos el Reina Sofía y nos metemos por la Ronda de Valencia hasta que llegamos al Cajamadrid.

—Aparca ya donde puedas —digo. Roberto canturrea un tema.

—Este grupo es buenísimo.

—Aparca aquí.

135

Estamos enfrente del Cajamadrid, apoyados en el capó de un coche.

Miro el reloj: son las ocho y media en punto.

—Somos la hostia de puntuales —digo.

Herrero no está.

—¿Tú crees que lo de hoy es seguro?

—Creo que sí.

—Espero que sí porque si nos quedamos sin nada para la acampada va a ser un coñazo. Estoy harto de tanto Dyc. Encima, si no fuman, el Guille y el Fierro se ponen pesados.

—¿Se ponen violentos?

—Se ponen tontos. El Guille comienza a darle patadas a todo, sobre todo si pierde al fútbol o al futbolín.

—¿Y Fierro?

—El Fierro, ya lo sabes. Es un tío muy raro. Es masoca, y yo creo que es también homosexual...

—¿Es masoca de verdad?

—Sí. No sé si te acuerdas que ya en el colegio le pedía a todo el mundo que le pegara, que le pegaran, por favor...

—Yo pensaba que era coña.

—Como siempre ha sido un poco pringado, la peña por lo general pasa de él. Sobre todo cuando le dan puntos raros. Ayer, por ejemplo, que nos fuimos todos al Castillo a bebernos unas botellas, el Fierro pillo un pedo de porros...

—¿Bebió?

—No. Fierro no bebe nunca, fuma. Pero deja que siga: el Fierro, como te decía, se pilló tal ciego de porros que tuvo que ir a tomar un poco el aire. Yo me metí en el coche y le seguí con las luces apagadas, por si le pasaba algo, y él se puso a correr. Yo comencé a acelerar, así, en plan coña, y el Fierro, justo antes de que le atropellara, cogió y se tiró a las zarzas de un lateral. Luego salió sangrando, lleno de arañazos, y me dijo que había sido cojonudo, que lo hiciera otra vez.

—¿No sentiste ganas de atropellarle de verdad?

—No se me ocurrió, no. Fierro es mi amigo.

—Beitman lo hubiera hecho.

—Pero Beitman no tiene amigos de verdad. Por eso es como es: le faltan vínculos afectivos.

—Y tú, ¿te crees que tienes amigos?

—Pues yo creo que sí. Tú eres mi amigo, ¿no?

—Nadie tiene amigos, Roberto. La amistad es cosa de débiles. El que es fuerte no tiene necesidad de amigos. Beitman te lo demuestra.

—¿Tú piensas así?

—Mira. Por ahí viene el ex novio de mi hermana.

—No me has contestado.

Herre acaba de llegar. Botas Santiago, tupé y cinturón grandísimo con chapa de Jarlideividson. Qué tal, saluda y nos da la mano. Yo le presento a Roberto.

—¿Y Santi? —pregunto.

—El Santi, ahora vamos a su casa. ¿Venís?

Herrero comienza a andar y le seguimos.

Llegamos al portal número veinte. Es aquí, dice Herre. Subimos por las escaleras hasta el tercero y llamamos a una puerta. Santi abre, nos saluda, pasad, pasad, y nos guía por un pasillito estrecho hasta el salón. Dice: Bueno, vamos a hacernos un mai, y le da a Roberto una china para que rule. Eso es lo que hay ahora por el barrio. Luego, me hace una señal con el dedo para que me acerque.

—Ven, que te voy a enseñar mis discos.

Le sigo sin muchas ganas a su cuarto y comienza a sacarme discos: Ramones, Burning, Parálisis Permanente, Doors, Siniestro Total.

Roberto entra un poco más tarde con un porro, me lo pasa, se pone a hablar de discos con Santi.

—El mejor disco de música española de la época.

Fíjate en la fecha, el ochentaitres, y dime quién hacía una música así en España, ¿eh? Nadie.

—¿Quieres que lo ponga?

—Sí, venga. A mí lo que me flipa es esa guitarra siniestra...

Santi pone un disco de Parálisis Permanente.

—¿Qué es esto, Santi? Suecabisexualbuscasemental.

Herre acaba de entrar con una cinta de vídeo en la mano.

—Una de las cintas porno que tiene el jefe por ahí.

Roberto me mira y hace un gesto de exasperación.

—Bueno, Santi, ¿vamos a poder pillar hoy? —digo.

—Tranquilos, muchachos, tranquilos. Esperad aquí, que voy a llamar un momento para preguntar por el menú. ¿Cuánto era lo que queríais?

Vamos al salón.

Roberto y yo nos sentamos en el sofá. Santi está telefoneando desde la cocina. En la tele, sale Maribel Verdú en un programa.

—Bah. Esa tía es una birria —comenta Herre.

—¿La conoces?

—Sí. Bueno, no. Quiero decir, no personalmente. Yo le daba clases a su hermana. Viven allí al lado del Vicente Calderón, sabes, y un día voy y me abre Maribel Verdú. Yo ni me di cuenta de que era ella hasta que me lo dijo su hermana y desde luego no era nada del otro mundo, sabes. La vi recién salida del baño en bata, y era como una niña pequeñita...

Santi entra en la habitación.

—Bueno, van a ser cinco, los doce gramos. Diez, los veinticinco. ¿Os hace?

Roberto dice que sí.

—Pues venga. Uno de los dos que se venga conmigo.

Los dos nos levantamos y Santi se ríe:

—Con uno basta, que tres somos multitud.

Roberto me dice que vaya yo.

—Bueno, ahora volvemos —dice Santi.

Roberto y Herre se quedan viendo la televisión.

Santi coge una bolsa de basura y me da una botella vacía de sidra. En la calle, abre uno de los contenedores de basura del portal y tira la bolsa. Yo tiro la botella.

—Podías haber esperado a que pasáramos un contenedor de vidrios, ¿no?

—No me he dado cuenta. Lo siento.

—Anda, vamos primero por aquí. Dime. ¿Qué tal está tu hermana?

Entramos en un bar. Santi le susurra algo al de la barra pero éste dice que no con la cabeza. Nos metemos en un cuarto pequeño donde hay una máquina de dardos. Santi echa un par de monedas de cien, los marcadores se encienden.

En ese momento entran dos yonquis.

—Joder, ya está éste. Te pasas aquí todo el puto día. Venga. Si acabáis de empezar. Vamos a jugar todos juntos, colega.

Santi sonríe y dice que no con la cabeza.

—Vamos a jugar sólo una.

—Bueno, pues nosotros estamos fuera. Nos avisas cuando termines.

Santi le agarra a uno por la camiseta y le pregunta algo. El yonqui dice que no con la cabeza.

Quince minutos más tarde, estamos fuera. Es de noche y seguimos caminando.

Son las nueve y cuarto. Comienzo a mosquearme y le pregunto a Santi que dónde vamos.

—Al Botas —me dice.

Llegamos a una plaza.

—¿Qué plaza es ésta? —pregunto.

Santi me mira sorprendido.

—Lavapiés —dice, y añade—: A los yonquis que te ofrezcan costo, ni mirarles.

Los yonquis se agrupan en torno a nosotros. Costo, costo, chocolate, jaco, jaco, anfetas. Hay uno que está vomitando, todo pálido, apoyado en una farola.

Pasamos sin mirarles.

—¿Has visto al de la farola, Carlos? ¡Qué fuerte! A un pinchado con un mono así le vas a pillar... ¡Anda ya!

Entramos en un garito que se llama El Botas.

Suenan los Ronaldos: TENDRÍA QUE VIOLARTE Y DESNUDARTE Y LUEGO, LUEGO, BESARTE, HASTA QUE DIGAS SÍ, HASTA QUE DIGAS SÍ.

El camarero, un tipo con patillas, me pregunta qué quiero beber. Pido un tercio.

—¿Hay algo? —le pregunto a Santi.

—Espera —Santi saca una china y se pone a rular.

ERA UNA CHICA MUY MONA QUE VIVÍA EN BARCELONA, CUANDO ESTÁBAMOS EN CAMA UH ME BAILABA LA SARDANA... DE LA CIUDAD CONDAL TÚ ERES PERO A MÍ TÚ NO ME QUIERES... Mientras suena una canción de Siniestro, un tipo gordo con coleta entra en el bar y se pone a hablar con el camarero.

—Dame las pelas —me dice Santi al oído y se acerca a él. El gordo le da una piedra envuelta en celofán, le da un toque en el hombro, a modo de despedida y se va.

—Bueno, ha habido suerte —dice Santi—. Venga, que el Herre y tu colega estarán ya de mala hostia.

En casa de Santi, Roberto y Herre están sentados, viendo una peli porno.

—¡Ya era hora! Anda que no habéis tardado —exclama Roberto.

—Bueno. Habrá que probar el material —dice Santi, siempre sonriendo.

—Es el mismo que tú tienes, ¿no Santi?

—Sí. Cero de Marruecos. De lo mejorcito que se puede encontrar en Madrid.

—Al menos habrá merecido la pena esperar... Pásame el mechero, anda.

—Toma, coño, y deja de gruñir. Ya tienes para tu acampada mañana.

Roberto se pone a rular.

En la tele hay una escena de lesbianas: una rubia se está dejando comer el chocho por una morena. Un viejo las mira desde una silla de ruedas. Ahora aparece un tío por detrás de la morena y le da por el culo mientras la rubia le sujeta por los pelos y sonríe sádicamente.

—¿Quién es el viejo? —pregunto.

—Es una movida muy rara. El viejo está casado con la morena, que es lesbiana, sabes, y que está enamorada de la rubia. Y ésta, a su vez, está enamorada del hijo del viejo. Un follón, ya ves. El viejo, lo que pasa, es que se ha quedado impotente y les observa pero no puede empalmarse...

—Menuda putada. ¿Os imagináis?

Roberto se ha hecho una ele.

—Fumar es lo mejor del mundo —dice—. Hace un momento estaba acordándome de vuestras madres, de lo nervioso que estaba, y ahora, con un par de caladas, ya me siento de lo más pacífico y tranquilo, en paz con todo el mundo.

La película se ha terminado y Herre cambia de canal con el mando a distancia hasta que deja un reportaje sobre el Tur de Francia.

—Si es que el Induráin es la hostia. Va a ganar el Tur, seguro.

—Les sacó más de cuatro minutos a todos en la contrarreloj.

—Sí. Si hasta dobló al Fiñón y a otro. Doblarles, no sé si te das cuenta, sabes. Y el Fiñón chupándole rueda como un cabrón, sabes. El juez detrás dándole luces pero el tío ahí, pasando a tope. Le ha debido de caer una multa del copón.

—Oye, Carlos, yo he quedado con éstos en el Kronen antes de las once.

—Siempre estás igual, Roberto.

Nos despedimos de Santi y de Herre.

Al salir, vemos a una vecina en el pasillo que nos espía a través de una puerta entreabierta. Le saco la lengua y la puerta se cierra. Roberto se ríe.

En el coche, Roberto me pregunta cómo hemos tardado tanto.

—El Santi, que me ha llevado por medio Madrid —digo—. Pero ya tienes costo para mañana, ¿no?

—Tienes razón.

—Bueno. Yo creo que a mí me dejas en mi coche y me voy a casa.

—¿No quieres entrar en el Kronen? Está Fierro, que hace tiempo que no le ves. Podemos darle una paliza.

—Se la damos otro día, cuando no esté tan cansado. Hala, Roberto, yo me abro. Llámame cuando vuelvas de la acampada.

—Vendremos el miércoles por la mañana. Te llamo después de comer, si quieres.

—Vale.

—Ah, y lo de la película ésa del otro día, ¿era verdad? ¿Podrías conseguirme una?

—Lo siento, Roberto, pero no conozco a nadie que las pase.

El escarabajo arranca bien. Petardea pero mantiene los ochenta por hora. Al llegar a la Moraleja, vuelve a calarse. Esta vez no arranca y lo tengo que aparcar en punto muerto. Por suerte, estoy muy cerca de casa. Al salir del coche, tambaleándome, sólo pienso en dormir.

Los viejos no están, qué raro.

Le pregunto a mi hermano, que está viendo la tele, dónde se han ido.

El enano dice que se han ido a llevar al abuelo al hospital porque está muy mal.

—Creo que se va a morir —me explica.

Me voy a mi cuarto.

Estoy muy tostado. Todo el cuerpo me pesa y, según caigo sobre la cama, me duermo inmediatamente. Con ropa y todo.

¿Sí? ¿Quién es?... Oye, Nuria. Soy Carlos, que salgo ahora mismo. Estoy en tu casa dentro de veinte minutos... Sí, bueno. Hasta ahora... Hasta ahora.

Media hora después llamo al timbre de la casa de Nuria.

La puerta se abre y aparece Nuria, con gafas y con el pelo corto y mojado.

—Qué tal, Carlos.

La verdad es que nunca me había fijado en que tuviera gafas.

—Es que me las acaban de poner, tonto. Llama al ascensor, que bajamos.

Mientras bajamos en el ascensor, le pregunto dónde quiere comer.

—Habíamos dicho un chino, pero ahora casi me apetece más una pizzería. ¿Qué te parece? ¿Te apetece un Pizzajat?

—Bueno.

—Hay uno en Santa Bárbara. ¿Has traído coche?

—Lo tengo en la calle siguiente. Vamos, porque está mal aparcado.

—¿Sigues con el mismo coche de siempre?

Príncipe de Vergara, Serrano, Concha Espina, Bernabéu.

—Qué mal anda tu coche. ¿No crees que deberías llevarlo a arreglar? Si estuviera aquí Joaquín, podría localizar la avería. Es un chico muy práctico.

—¿Dónde está ahora tu novio?

—Está estudiando. Prepara unas oposiciones para juez. Casi no tiene tiempo ni para verme. Lo bueno es que, como es insomne, gana cantidad de tiempo por la noche para estudiar. Cuando le voy a ver los fines de semana, se acuesta a las cuatro y se levanta a las diez. No le hace falta dormir más.

—¿Y cuándo son sus oposiciones?

—Quiere sacarlas en septiembre. Si las gana, es posible que se vaya a trabajar a Bruselas y yo me iría a vivir con él.

—¿Sí?

—Sí. Yo es que después de lo de Luis, lo pasé muy mal, ya lo viste. Estuve casi un año sin salir con ningún chico. Pero eso me vino muy bien para estabilizarme, para encontrarme a mí misma. Supongo que me hacía falta aprender a ser un poco egoísta... ¿Sabes que Arroyo ya no vive allí?

Nuria señala una casa enfrente del Bernabéu.

—...Pues estoy muy bien con él. Es un encanto en todos los sentidos y, sobre todo, lo que es más importante, estoy muy tranquila. Tengo confianza y libertad, las dos cosas. Puedo hacer lo que quiera. No soy tan dependiente de él como lo era de Luis, no tengo necesidad de estar pegada a él las veinticuatro horas del día. Me basta con saber que está allí y eso me da una seguridad que nunca antes había tenido: sé que Joaquín no me va a hacer putadas como las que me hacía Luis...

—¿Sabes algo de Arroyo?

—Arroyo sigue como siempre. Toca el saxofón y hace muchas cosas. Pero este año ha dejado el trabajo y se ha dedicado a... ¡CUIDADO! AY, DIOS MÍO, QUE SE HA MATADO. ¡PARA, CARLOS!, ¡PARA!, ¡PERO, PARA, POR FAVOR, QUE IGUAL SE HA MATADO!

—No te pongas histérica, que no le ha pasado nada.

El coche que iba delante de mí ha pegado un frenazo y se ha empotrado en la puerta del pasajero de un Mercedes que se ha saltado el semáforo, atravesando la Castellana.

—Hay que estar loco para saltarse un rojo cruzando la Castellana.

—Ay, Carlos. Qué susto me ha dado, todavía estoy alterada. Ve despacio, que cada vez me dan más miedo los coches. Qué mal lo he pasado. Lo que más me asusta es ver lo rápido que pasa todo. Unos segundos, pum, y puedes estar muerto.

—Podíamos haber sido perfectamente nosotros en vez del coche de delante.

—Qué miedo.

—Tranquilízate, que ya ha pasado.

Aparco cerca de la glorieta de Santa Bárbara, sobre una acera.

—¿Crees que el coche va a estar bien aquí, sobre la acera? —pregunta Nuria.

—Sí. No te preocupes, que no le va a pasar nada.

Fuera, hace un calor agobiante.

Dentro del Pizzajat, una de las camareras nos pregunta: ¿sois dos?, y dice: pasad a aquella mesa, allí en la esquina.

Nos sentamos a una mesa de dos.

La camarera trae dos cartas.

—¿Tú qué vas a querer?

—Pues no sé. A mí no me gustan las cosas complicadas. Creo que voy a pedir una Margarita pequeña.

—Yo, una Marinera.

146

—¿Pedimos algo de entrada?

—Podíamos tomar una ración de pan con ajo mientras nos hacen las pizzas.

—Bueno. Pero yo no quiero más. Con este calor, se me quita el hambre.

La camarera, con una libretita y un bolígrafo, toma nota.

—Las pizzas, ¿con pasta fina o de molde? —pregunta.

—Finas, finas las dos.

—¿Y para beber?

—Yo, una cerveza.

—Una cerveza y una jarra de agua.

—¿Algo más?

—No. Eso es todo. Muchas gracias.

—¿Qué tal el trabajo, Nuria?

—No veas la de problemas que he tenido este año. Sonríe, sonríe, me decían todo el rato, tienes que sonreír. Y yo, que soy muy seria, no podía. Me esforzaba pero no me salía... ¿Y tú? ¿Cuándo vas a comenzar a trabajar?

—Yo, mientras no le falte dinero a mi padre, estoy tranquilo. Tengo mi pequeño sueldo de heredero potencial.

—Pero no puedes vivir así toda tu vida. En algún momento tendrás que independizarte y vivir por tu cuenta.

—Yo estoy bien así. No me importa vivir en casa y no me gusta trabajar.

—¿Tú crees que a mí me gusta trabajar? Ni a mí ni a nadie, pero hay que hacerlo. No se puede ser como tú y tus amigos durante toda la vida. No sois más que hijos de papá, niños monos que no tenéis nada que hacer más que gastaros el dinero de vuestros padres en copas y en drogas.

—Ellos tienen el dinero. Ésa es la realidad. Qué más les da darnos un poco.

—Pero ellos se lo han ganado, han trabajado. ¿Qué es lo que has hecho tú?

—Perdonad.

La camarera ha traído dos pizzas. ¿Margarita? Pone la Margarita en el plato de Nuria; a mí me sirve una Marinera. Las bebidas ya están en la mesa y hemos terminado de comer los panecillos de ajo. Le doy un trago a la cerveza.

—No pongas esa cara, Carlos. Lo que te pasa es que te molesta que te digan la verdad, pero no puedes seguir en perpetua huida.

—Eso a ti no te importa, Nuria. Es mi vida, no la tuya.

—Pues me importa y me importa mucho porque soy tu amiga y no quiero verte siempre así. Quiero que evoluciones. Hay más cosas que tu pequeña vida egoísta. Están los demás y sus vidas, y tienes que tomarlas un poquito en cuenta.

—Comienzas a parecerte a mi padre.

—Me da igual parecerme a tu padre. A ver si sales de tu cáscara egoísta y maduras.

—Déjame un poco en paz, Nuria.

—¿Tienes novia?

—No.

—Pues a ver si te echas novia. Por ahí se empieza a madurar.

—No sigas, Nuria. No he venido aquí para que me sermonees. Si sigues así, me voy, te lo advierto.

—Bueno, pues voy a hablar de mí, aunque eso te agobie, y así no nos enfadamos. ¿Qué quieres que te cuente? Ah, sí. Te voy a contar cómo terminó lo de Arroyo, aunque te vas a reír de mí, pero me da igual. Te acuerdas que me enamoré de Arroyo a lo bestia, pero que no me atrevía a decirle nada. Pues así siguieron las cosas, hasta que un día decidí que tenía que decírselo. Estuve dándome ánimos toda la mañana hasta que le llamé y fui a verle a su casa. Él estuvo encantador: tocó el saxofón, puso un poco de jazz, todo muy romántico. Al final se lo dije. Arroyo fue de lo más delicado, se portó como un verdadero amigo. Hasta me llevó al metro, temiendo que me fuera a desmayar. Y luego, al despedirme, me dio un abrazo lleno de cariño. Al día siguiente, le envié unas flores. Ya sé que a ti te parecerá estúpido pero es que se portó tan bien conmigo que no encontré otra manera más apropiada de agradecérselo. ¿Te parece que soy una estúpida romanticona, no es verdad?

—Pues sí.

—Cada cual hace las cosas como las siente.

—Eso es lo que siempre digo yo.

—Pero yo no impongo mis sentimientos a los demás ni juego con ellos como haces tú. Esos pequeños juegos de dominación no te llevan a ningún lado, no ganas nada. Juegas muy sucio y lo sabes, que es lo peor. Tienes miedo a sufrir y lo escondes haciendo sufrir a los demás. Para que no te peguen, pegas primero. En el fondo eres un cobarde...

Miro a Nuria con cara de mala hostia. ¿Por qué coño se empeña todo el mundo en psicoanalizarme?

—Te falta capacidad crítica para evaluar el peso de tus acciones porque no quieres ponerte en la situación de los otros, ni quieres asumir la responsabilidad de tus actos.

Me levanto y me voy hacia la puerta. Ya he aguantado suficientes sermones por hoy. Estoy harto de que todo el mundo se dedique a decirme lo que tengo que hacer.

Antes de salir, oigo cómo Nuria exclama a mis espaldas: huye, escápate como siempre.

Fuera, el calor es todavía bastante agobiante.

El coche arranca a la segunda y consigue subir por la cuesta hasta la glorieta.

Al pasar por el Pizzajat, me doy cuenta de que no he pagado pero, bah, que pague ella.

Ahora subo por la Castellana hasta Plaza de Castilla, donde ya han vuelto a poner la escultura esa que no se sabe muy bien si es una espada, una pluma o la proa de un barco.

Veinte minutos más tarde, estoy en la Moraleja, entro por el Soto, calle Begonia, paso la ermita de las Irlandesas, calle Azalea, Paseo de Alcobendas.

En el Centrocomercial aparco delante del taller, que está cerrado porque aún son las cuatro y media, entro en la hamburguesería del Centro, me tomo una caña, me siento a una mesa, miro la tele aburrido.

Está el jodido culebrón sudaca.

Hay un futbolín en el local, pero no juega nadie.

El camarero lee el periódico en la barra y yo, para matar el tiempo hasta que abran el taller, llamo a Amalia para quedar con ella.

¿Sí?... Hola. ¿Está Amalia, por favor?... Sí, espera un momento. ¡Amalia!... ¿Sí?... Hola, Amalia, qué tal. Soy Carlos... Qué tal... Oye, ¿vamos esta tarde al concierto de Elton Yon?... Si no tenemos entradas, ¿no?... Pero es igual. No creo que vaya mucha gente y seguro que hay reventa... No sé yo... Bah. Los Rolin, cuando vinieron aquí, no llenaron el Calderón y acabaron los reventas como locos vendiendo a mitad de precio... A mí me han dicho que ya están todas las entradas agotadas... No te fíes de lo que diga la gente. Seguro que encontramos un par de entradas. Paso por tu casa a las ocho. ¿Te parece bien?... Por mí, vale... Pues hasta luego, Amalia... Hasta luego.

Termino la birra.

A las cinco en punto estoy en la puerta del taller.

Un mecánico está abriendo. Me acerco y le pregunto si puede echar un vistazo al coche.

—Tráelo la semana que viene, porque mira todos los coches que tengo —dice, señalando con el dedo unos quince o veinte coches dentro del taller.

Insisto y le doy la coña hasta que se acerca de mala hostia al escarabajo y dice:

—Abre el capó y arranca, anda.

Abro el capó y le doy a la llave de contacto.

El coche arranca a la primera.

—Pero si no le pasa nada. Lo único es que lo llevas con tres cilindros y tienes un cable suelto.

El mecánico chasquea la lengua y mete una mano en el motor.

—Ya está. A ver si otra vez no me vienes con tonterías, que tengo mucho trabajo. Arráncale otra vez, a ver.

Arranco de nuevo. Esta vez, el motor suena perfectamente.

—Lo que tienes que hacer es limpiarlo un poco, que está sucio.

El viejo está en casa. Es raro que haya llegado tan pronto de la oficina.

Al entrar, le veo preparándose para salir, poniéndose la chaqueta.

—Podías haber avisado que no comías en casa —dice.

—¿Dónde vas? —le pregunto.

—Al hospital, que han ingresado a mi padre. Ya os diré cómo evoluciona la cosa.

El viejo sale. Tina, desde la cocina, dice:

—Ha llimado Noria.

Yo le explico que me voy a echar una siesta y que, si Nuria vuelve a llamar, no estoy para ella.

Bajo las persianas, me meto en la cama, y, antes de dormir, me hago una paja para relajarme.

Cuando me levanto, voy al baño.

Mientras me ducho, suena el teléfono.

La fili lo coge y responde:

—¿Sí? No, no está.

Hay un momento de silencio.

—No, no. No estar, no sé.

Me preparo para salir.

Yendo hacia el coche, me encuentro con Conti, el vecino.

Conti me saluda y me pregunta qué estoy haciendo ahora. Le digo que sigo estudiando y él me dice que acaba de terminar la mili.

—Pero ya me ha crecido el pelo —se toca el tupé sonriendo. Yo también sonrío y digo que tengo prisa. Conti me coge del brazo.

—Eh, espera. ¿No tendrás algo de coca? Para pasar, quiero decir.

Le digo que no tengo nada y que me suelte el brazo.

—Tranquilo, no te pongas así.

Vuelvo a decir que tengo prisa y me meto en el coche.

Conti murmura algo a mis espaldas.

Media hora más tarde, estoy en el Barrio del Pilar y llamo al telefonillo del piso de Amalia.

—¿Sí?

—¿Está Amalia, por favor?

—Sí. Ahora mismo baja. Espérate un momento.

Amalia aparece en el portal, sonriendo, y me da un beso en la boca. Lleva unos pantalones vaqueros cortados y una camiseta sin mangas.

—Qué veraniega.

—Ya ves. Es para estar cómoda en el concierto. ¿Cogemos mi coche hoy?

El coche de Amalia es un Renolnueve blanco.

Estamos en la autopista.

—¿Te ha vuelto a montar otra movida el Chus? —pregunto.

—No, qué va. De ése no quiero volver a hablar, así que ni me lo menciones. El otro día llamé a su casa para ver si estaba bien y el hijoputa de su hermano me colgó el teléfono. Pues que se muera y se trague otra sus crisis de bebé. Yo ya estoy harta de hacer de madre.

Amalia me mira, sonríe y canturrea un poco, desafinando horriblemente.

El parking de Las Ventas está lleno a rebosar. Hay coches aparcados hasta en la propia Emetreinta.

—No vamos a encontrar entradas ni de coña. Ya te lo había dicho.

Amalia baja el volumen y deja de cantar.

—No vamos a encontrar ningún sitio —repite.

Un guardia municipal nos corta el paso y nos hace girar a la derecha, hacia el parque de las Avenidas.

Encontramos sitio en una calle sin pavimentar, frente a un solar en obras, y aparcamos.

—¿Crees que aquí me van a tocar? —pregunta Amalia y mira fuera de su ventanilla, calculando el espacio que queda entre su coche y el Opel negro de enfrente.

Andamos hasta la plaza.

—Date prisa, que ya están tocando los teloneros.

—¿Quiénes son?

—Tomatito.

—¿El que tocaba con Camarón?

—Sí, ése.

Llegando a Las Ventas, Amalia me pregunta la hora.

—Las nueve y veinte.

—Pues han empezado pronto. Vamos a darnos prisa.

Bajamos por una ladera de arena y césped hasta el aparcamiento de la plaza de toros. Luego damos la vuelta hasta la puerta principal, donde hay una cola inmensa de gente esperando para entrar.

—Vamos a buscar un reventa —digo.

—No vamos a encontrar entradas ni de coña. Ya te lo había dicho.

Hay un semicírculo de gente que se ha formado alrededor de un guiri rubio.

—Ven —le digo a Amalia.

El guiri pide ocho mil pelas por entrada.

—Vamos a seguir buscando —dice Amalia—. A ver si cuando empieza el concierto, baja el precio.

Un poco después la policía arresta a una vieja gitana coja que grita que ella no ha hecho nada y el guiri rubio desaparece.

Media hora más tarde todavía no hemos localizado nada asequible.

La cola acelera el paso y se levanta un clamor en el interior de la plaza.

Una gitanilla nos ofrece una entrada por cinco mil. Yo se la compro y Amalia me dice que soy gilipollas.

—Ahora nos vamos a quedar con una estúpida entrada y no vamos a poder venderla.

Damos una vuelta y encontramos a un viejo que está queriendo vender dos entradas por siete mil cada una. Dos lesbianas teñidas de rubio le ofrecen dinero desesperadas.

—Sólo tenemos doce mil trescientas —dicen.

El viejo levanta la vista asustado:

—Tened cuidado, que va a venir la policía.

Yo le ofrezco siete mil por una entrada y le enseño los billetes. El viejo coge el dinero y me da la entrada. Las dos lesbianas me miran con rabia, mientras agarro a Amalia y la arrastro hacia la puerta principal.

Amalia está contenta, me aprieta la mano. Quiere ir directamente al mogollón pero yo le digo que antes tengo que tomarme una copa.

En una de las barras laterales, un camarero nos pone dos güisquis, unas ridículas botellitas de Cutishark, y nos cobra mil cuatrocientas. Bebemos las copas, casi de un trago.

Toda la plaza está abarrotada y no hay un solo hueco en las gradas. El ambiente no tiene nada que ver con el concierto de Nirvana porque aquí nadie baila.

—No veo nada. Vamos a irnos acercando. Yo paso de haber pagado lo que hemos pagado para ver el concierto desde aquí —digo. Cojo la mano de Amalia y comienzo a abrirme paso a empujones entre la gente.

Elton Yon presenta el siguiente tema, que es una canción tranquila.

—YO A TODA ESA GENTE QUE SACA MECHEROS EN LOS CONCIERTOS, LOS MATARÍA.

Nos paramos detrás de una pareja de pijos que se está dando el palo.

—DESDE AQUÍ YA PUEDO VER ALGO —dice Amalia de puntillas.

Elton toca una nueva canción. Dice que se la ha dedicado a Niuyork. Amalia empieza a bailar un poco. La canción es movida y desaparecen los mecheros. Yo muevo la cabeza al compás del ritmo pensando que todas las canciones de Elton Yon me parecen iguales.

De repente la plaza se pone a gritar: EEOOO, EEEOOO.

Levanto la vista y veo que Elton Yon, sentado en su sintetizador, asciende sobre una plataforma que es como una media cáscara de huevo, se queda parado unos dos metros por encima del escenario y se marca un solo.

—¿HAS VISTO ESO? ES ACOJONANTE —dice Amalia.

Yo saco la piedra de jachís que tengo en el bolsillo, corto dos cachos con los dientes y le meto uno en la boca.

—COME ESTO —digo, tragándome el otro cacho.

Comienzo a mover la cabeza porque Elton Yon está tocando una canción algo más cañera.

El guitarra, un rubio con melenas jebis y pantalones de cuero, se mueve y agita el pelo, mientras las tres coristas negras bailan sincronizadas. Luego la canción cambia de ritmo, se hace lenta y vuelven a aparecer los dichosos mecheros.

—YO, SI FUERA MÚSICO, NO METERÍA EN MIS CONCIERTOS NINGUNA CANCIÓN LENTA.

—¿QUÉ?

Amalia me repite al oído lo que ha dicho y, de paso, me mete la lengua en la oreja. Es una pena que no tengamos coca, murmura.

Intentamos abrirnos paso de nuevo y llegamos hasta las primeras filas, donde la gente está un poco más animada. Una cerda se sube a los hombros de alguien. Yo agarro a Amalia y bailamos un poco hasta que el de delante tira una botella al suelo, que nos salpica.

—OYE, TEN CUIDADO. GILIPOLLAS —grito.

El gilipollas se da la vuelta y dice:

—LO SIENTO.

—NO. LO SIENTO, NO. SIMPLEMENTE TEN MÁS CUIDADO LA PRÓXIMA VEZ.

La piedra que he comido me está haciendo efecto. La música la percibo de manera cada vez más clara y me pesa el cuerpo. Doy palmas en el aire, que parece ser lo único que se puede hacer en este concierto, agarro a Amalia por la cintura, la beso el cuello.

De repente, la gente se pone a gritar: ¡TORERO, TORERO!

Elton Yon está tocando los primeros acordes de Deshoumastgouon de Kuin y todo el mundo tararea la canción.

Una pija con voz de pito berrea como una cerda a mi lado y yo no puedo evitar mirarla con cara de mala hostia. Un gordo sudoroso a su lado me dice:

—¿TE PASA ALGO CON MI NOVIA?

Amalia me abraza y me murmura al oído: comienzo a sentirme mal, me asfixio entre tantos brazos.

—¿QUÉ?

—¡QUE ME ASFIXIO!

—BUENO. NO HACE FALTA QUE ME GRITES ASÍ, NO SEAS HISTÉRICA.

—SÁCAME DE AQUÍ.

Me abro camino hacia la salida. Amalia me sigue, tapándose los ojos con la mano. Está a punto de caerse y alguien nos dice: CUIDADO, JODER. Continúo empujando hasta que salimos fuera.

—¿Te sientes mejor?

—Sí, sí —dice Amalia con poca voz.

Son las doce y cuarto.

—Llévame a casa, por favor.

—¿No quieres ver el final del concierto? —pregunto.

—Te he dicho que quiero que me lleves a casa. Por favor.

Amalia me golpea el pecho, nerviosa.

—Vamos a comer algo fuera —digo.

—Agua, quiero agua.

—Ahora. Ahora bebemos agua, coño.

Amalia no responde y la llevo, agarrada por los hombros, hasta el primer puesto que encuentro. Compro una botella de agua mineral y un bocata de jamón serrano con tomate. Luego nos sentamos en el parquecito en cuesta que hay detrás de Las Ventas y comemos.

Amalia engulle como una cerda.

—Ya estoy mejor. Lo siento, pero es que, por un momento, pensé que me asfixiaba ahí dentro, como si me fuera a morir. Te juro que nunca me ha sentado el costo así. Me pesan las manos...

Amalia se queda un rato quieta, con la mirada perdida. Luego se restriega la cara.

—Vamos a caminar porque, si no, me voy a quedar aquí dormida.

Intento ayudarla a subir la cuesta. Amalia se ríe al resbalar, se cae. Yo le digo que no se ría. La cojo por la cintura y consigo hacerle subir la cuesta.

157

—¿Dónde está el coche?

—Está por ahí. No te preocupes que yo te llevo.

—Sí, pero yo voy a conducir, eh. Voy a conducir yo, que de ti no me fío...

Vuelve a caerse y tengo que sujetarla.

—Me siento tan pesada... Te juro que las manos las siento como si pesaran tanto que no puedo casi moverlas.

A trancas y barrancas, llegamos al coche y le pido a Amalia las llaves.

—Que no, que voy a conducir yo.

Le digo que no sea estúpida y le saco las llaves del bolsillo.

—No conduzcas muy rápido, ¿eh? —dice. Su cabeza se cae sobre el hombro derecho. Tiene las manos apoyadas en las rodillas.

Me pongo el cinturón y arranco.

Por la Emetreinta, Amalia empieza a levantar la cabeza y a decir cosas incoherentes. Intento tranquilizarla, le digo que todo va bien. Ella cierra los ojos y murmura que le pesan mucho los pies.

—Es como si fuesen a atravesar el suelo del coche.

Por la carretera de Colmenar, llego en pocos minutos a su casa. Aparco el coche y apago el motor. Amalia se espabila de golpe.

—¿Ya hemos llegado? —se restriega los ojos—. Lo siento por haberte cortado el rollo. Me ha sentado super mal el costo.

Dentro del portal, ella me dice:

—Ya estoy mejor. Déjame —abre la puerta del ascensor y se mete dentro. Tiene los ojos súper rojos—. Gracias por traerme.

Media hora más tarde, estoy en mi casa, acaricio a la perra para que no ladre y caliento en el microondas unos espaguetis del día anterior. Luego, cojo un

158

cartón de Solán de Cabras y me lo llevo a mi habitación.

Me desvisto como puedo y me meto en la cama en gayumbos.

Me duermo prácticamente al instante.

XI

—VENGA, CARLOS. LEVANTA YA, QUE SON LAS DOS, POR FAVOR.

La vieja sube las persianas. Yo me tapo la cara con la almohada.

—¡PERO NO TE TAPES CON LA ALMOHADA, NIÑO, QUE TENEMOS QUE IR AL VELATORIO!

Me quita la almohada y tengo que meterme debajo de las sábanas para protegerme del sol.

—Mierda, mi almohada.

—QUE TE TIENES QUE LEVANTAR YA, CARLOS, POR FAVOR.

La vieja me quita las sábanas. Abro los ojos y le pregunto qué pasa.

—Pasa que se ha muerto tu abuelo ayer y nos tenemos que ir al velatorio, ¿te enteras? Te advierto que tu padre está muy afectado, así que no se te ocurra ponerte hoy a malas con él. Ay, Carlos. Ha venido esta mañana a darte la noticia y tú ni siquiera te has despertado.

Me ducho con agua fría, para que se me quite el tostadón de ayer.

Todavía tengo los ojos algo rojos, así que me echo unas gotas de colirio.

Mi madre da dos golpes en la puerta y pregunta si estoy preparado.

—Estoy en el váter —contesto mientras expulso un tordo de lo más placentero, sintiendo bien la dilatación del ano.

Me visto en la habitación. La vieja entra mientras me pongo las botas. Dice:

—Vete bien vestidito, ¿eh? Ay, ¿cómo puedes llevar esas botorras tan feas, con el calor que hace?

Desayuno en el salón.

—A ver cuándo te cortas el pelo también. Estarías tan guapito con el pelo corto... No entiendo yo esas nuevas estéticas. Si estáis todos muchísimo mejor con...

—Que me dejes en paz, mamá.

—Bueno, Carlos. Vamos, que Quique y papá ya están allí y tenemos que llegar antes de comer.

La vieja se mete en su coche y dice:

—Venga, venga.

La filipina nos observa desde la puerta. Antes de meterme en el Golf, le pregunto si ha llamado alguien.

—Sí. Noria y Robirto.

La vieja conduce muy mal, está nerviosa, tiene la cara pegada al cristal, mete marchas demasiado largas y da frenazos innecesarios. Por la Emetreinta le digo varias veces que tenga cuidado con el cambio de carril y le advierto que va a quemar el motor si continúa a cien en tercera.

—Déjame conducir tranquila, por favor.

El Velatorio está enfrente del Parque de las Avenidas, al otro lado de la Emetreinta. Es un edificio feísimo de colores fúnebres. No querrás que esté pintado de rosa. Qué cosas tienes a veces, Carlos. Nuestro cadáver está en el velatorio nueve. Por el pasillo, vemos a José Antonio y a su esposa, unos primos de mi madre, que comentan cuánto sienten que haya fallecido Miguel. José Antonio es de la mejor cosecha sesentaiochista, un dueño millonario de una editorial afiliado al Partido Comunista.

Llegamos al velatorio nueve atravesando un patio con jardincito de cipreses. Toda la fauna familiar está congregada allí. El abuelo está dentro de un ataúd negro, trajeado, elegante y bien peinado. A pesar de tener la piel algo amarillenta, parece como si hubiera rejuvenecido veinte años con la muerte. Mientras le miro, escucho lo que le cuenta mi tía Carmen a mi vieja.

—...Fue horrible, la pobre Martina se quedó impresionada. Pero era algo que se veía llegar, sobre todo después de que le ingresaran en el hospital, que no sé cómo le dejaron salir. Hace unos días ya decía que le dolía la lengua, y eso, me lo ha dicho un médico amigo mío, quería decir que estaba al caer. Una vez que le comienza a picar a uno la lengua, le quedan dos o tres días como mucho. ¿Verdad, Sara, que antes de ayer decía el abuelo que le picaba la lengua? Y prácticamente no comía ya. Tenías que verlo cuando comenzaron a darle espasmos y le salía aquel liquidillo por la boca. Martina y yo tuvimos que arreglar el cadáver, ¿eh, Martina, te acuerdas qué feo nos quedó? Le metimos algodón en la boca y quedó horrible. Menos mal que para hoy le han arreglado mejor. Ha quedado elegantísimo. Ay, no te había visto, Carlos. ¿Qué tal estás, sobrino? Dame dos besos. ¿Has visto al abuelo? Qué triste, ¿verdad?

—Ya sólo falto yo. Pero yo estoy muy bien, gracias a Dios —murmura Sara.

—Sara, tú vas a durar hasta los cien. Vas a ser la centenaria de la familia.

—Sí. Si yo me siento todavía muy bien. No he tenido nunca una enfermedad. Y ya tengo ochenta y pico años, no os creáis. El pobre abuelo, en cambio, tenía una salud tan frágil. Y no dejaba de fumar, a pesar de que se lo había prohibido el médico y yo se lo decía: que te vas a morir si sigues fumando. Pero nada. Él, ni caso...

—Si es que el abuelo siempre fue un poco bruto.

—Era tan bueno. Se portaba tan bien conmigo. Igual que la abuela, que era una santa, una santa...

Me siento al lado de mi hermano, que está muy callado. Martina y Paloma se acercan a nosotros.

—Hola, Carlos. ¿Qué tal, hijo? Cuánto tiempo sin verte. ¿Has visto al pobre abuelo cómo está? Se nos murió en el salón. No te cuento nada la impresión. ¿Verdad, Paloma?

—Menos mal que yo no estaba, tía, porque igual me hubiera desmayado. Te lo juro, tía, que yo no sé si hubiera soportado lo que te ha pasado.

—No vamos a hablar más de eso, ¿vale? Carlos, ¿hablaste al final con tu hermana?

—Sí, ya se lo dije.

—Es verdad. Que Nuria no está aquí. ¿Dónde está?

—Claro, tía, está en Francia. Si te lo dije ayer.

—Hala, qué vidorra os pegáis, primos. ¿No sabéis si Nuria se queda en agosto, verdad? Porque nosotras vamos a hacer un Interrail en agosto y podíamos visitarla. ¿Eh, Martina?

—Sí, pero creo que sólo se queda julio, ¿no, Carlos?

—Eso creo.

—Qué pena. ¿Y dónde está?

—En Marsella.

—¿En una residencia, o en casa de alguien?

—Creo que está en una residencia.

—Nosotras, las veces que hemos estado en Francia, hemos estado en familia y superfenomenal. ¿A que sí, Martina?

—No exageres, tía, que también hemos tenido nuestros problemillas. Como cuando nos tocó con la señora esa que escondía el teléfono para que no llamáramos y luego nos espiaba cuando venían chicos a casa. ¿Tú has estado en Francia, Carlos?

—Sí, un par de veces.

—¿Y hablas francés bien? Nosotras ya nos hacemos comprender bastante bien. ¿Verdad, Martina, que cuando íbamos en Interrail y encontrábamos extranjeros, les hablaba yo casi siempre en francés? Igual que con Franchesco, que no sabía nada de inglés...

—Supersimpático, Franchesco, y muy guapo. Me cayó muy bien. Hicimos muchos amigos el verano pasado y nos quedamos con sus direcciones, así que igual pasamos a verles este año...

—Y tú, Quique, ¿qué tal? ¿Te da mucha pena lo del abuelo? No te preocupes, que es normal. A mí, cuando era pequeña, también me ocurrió cuando murió el abuelo Antonio. ¿Te acuerdas, Martina? Nos poníamos a llorar las dos como tontas, pero luego se pasa. Lo que tienes que hacer es recordar las cosas buenas del abuelo. ¿Habéis visto qué guapo está? Si le hubierais visto cuando se murió... ¿Verdad, Martina? Tú lo sabes. Cuéntaselo.

—Sí. Le tuvimos que cerrar los ojos, lo tumbamos sobre la cama y le metimos algodones por la boca y por la nariz para que no se le salieran los líquidos. Daba miedo. Yo nunca había visto un cadáver así, de cerca. Es impresionante pensar que, apenas una hora antes, era una persona viva. Da un poco de vértigo.

—De todas maneras, desde que murió la abuela, el abuelo estaba muy mal. ¿Verdad que te dio pena que muriera la abuela? ¿A que era muy buena la abuela? ¿Eh, Quique?

—Déjale, Paloma, que le vas a hacer llorar. Venga, déjale.

—Pero si es bueno que llore. Llora, Quique, llora. Llora, que eso es bueno. Ves. ¿A que te sientes mejor?

El enano se pone a llorar y Paloma le consuela.

Mi padre está hablando con Cecilio, un compañero de trabajo suyo. Cecilio pregunta cuándo va a ser el entierro.

—Lo antes posible. Va a ser una cremación, porque así fue su último deseo. Creo que lo haremos mañana, en familia, y la semana que viene habrá una misa para todo el que quiera asistir. ¿Te parece, Juan?

—Sí. Mañana pondremos la esquela en los periódicos anunciando la fecha de la misa.

Cuando Cecilio se va, los demás nos dirigimos a la cafetería del velatorio.

—¿La prima Nuria sabe ya que se ha muerto el abuelo? —pregunta Paloma.

—No. Nuria está en Marsella. Se lo diré por teléfono cuando llame.

Comemos en la cafetería. Pedimos el menú del día, pollo con patatas fritas y ensalada.

—Bueno, el abuelo, que era tan complicado en vida, ha tenido una muerte relativamente sencilla —dice el viejo.

Cuando termina la comida, la vieja dice que nos va a llevar al enano y a mí a casa. El viejo se va a quedar todo el día en el velatorio y tiene que arreglar los trámites para la cremación de mañana. Antes de irnos, nos pregunta si no queremos despedirnos del abuelo.

—No. Quique no, que es muy joven —dice mi madre.

—¿Y tú, Carlos?

Si no acepto, mi padre seguro que me deshereda, así que digo que sí. El viejo me pasa un brazo por el hombro y yo cierro los ojos mientras me da un beso en la mejilla.

El velatorio nueve está ahora vacío. El cadáver, dentro de su ataúd, me recuerda una película antigua de Drácula. El tío Juan se inclina y le da un beso en la frente: adiós, papá, adiós, tras lo cual saca un pañuelo y se suena los mocos. Mi padre pasa la mano por la cara del muerto. Dice: adiós, padre. Te vamos a echar de menos. Luego, Sara le da otro beso y murmura: adiós, Miguel, adiós. Ya estarás con ella, como querías. Yo no tardaré mucho en reunirme con vosotros... Ahora me acerco yo y le doy un beso al cadáver.

—Adiós, abuelo.

Poco después, me despido y salgo al patio, donde están mi madre y el enano esperando.

Son las cinco menos cuarto.

Al llegar a casa, cojo las llaves del coche y salgo. Inconscientemente, tomo la desviación de la carretera de Colmenar y me dirijo a casa de Amalia. Unos minutos más tarde, llamo por el telefonillo de su portal.

—¿Sí?

—¿Está Amalia?

—Sí. Sube.

Abro la puerta y entro. El portero está leyendo el Marca y apenas levanta la vista por encima de las gafas. Me cruzo con una vieja que está saliendo del ascensor y que me mira, desconfiada.

—¿QUÉ PASA? ¿QUIERES UNA FOTO?

La vieja se va, asustada, al verme sacarle la lengua.

Amalia me espera en el séptimo piso con la puerta abierta.

—Pasa —dice.

En el salón, me presenta a su madre, que está leyendo el Abecé.

—Mira, mamá. Éste es Carlos, un amigo.

La vieja me sonríe y continúa leyendo su periódico. Amalia me coge de la mano y me lleva a su cuarto.

—¿Quieres una copita? Espera un momentito. Con hielo, porque no tengo ni cocacola ni nada.

Amalia sale de la habitación.

Unos momentos después entra con dos vasos y una botella a medio llenar de Huaitlabel. Vuelve a cerrar la puerta, pone un disco. Se acerca a la cama y se sienta a mi lado.

—Bueno. ¿Qué te cuentas desde ayer?

—Nada. Tenía ganas de verte. ¿Puedo fumar aquí?

—Sí, pero espera que abra la ventana.

—¿Qué tal te has levantado por la mañana?

—Jo. Estaba que no podía levantarme, te lo prometo. Es la última vez que como costo, porque es que no me podía casi ni mover. Pero ahora ya estoy mejor. Eso sí: apenas me acuerdo de cómo llegamos a casa.

—Te tenía que haber sacado una foto cuando estabas en el coche y todavía querías conducir.

—Sí, menos mal que llevaste el coche tú.

Amalia sonríe.

—Bueno, ¿qué has hecho hoy?

—He tenido que ir al velatorio de mi abuelo.

—¿Se ha muerto tu abuelo?

—Sí, hacía ya tiempo que estaba muy mal.

—Lo siento.

—No hay nada que sentir. Era viejo y se ha muerto. Punto.

—Bueno, Carlos, pero tampoco se muere uno todos los días. No sé. Es como cuando se va un amigo y sabes que no le vas a volver a ver. Da pena.

—¿Tienes un cigarro? Lo peor ha sido cuando mi tía ha comenzado a describir cómo se murió.

—Pobrecita. Lo ha tenido que pasar muy mal.

—Tal y como lo contaba, se lo estaba pasando pipa metiéndole algodones por la nariz...

—Ay. No hables así de este tipo de cosas. Hay cosas de las que no se puede reír uno.

—¿Como por ejemplo?

—Pues, por ejemplo, de las desgracias de los otros.

—Hombre. Más divertidas que las desgracias de uno, sí que son.

—Pero a ti seguro que no te gusta que se rían de tus desgracias.

—No. Para eso, ya me río yo.

—No se puede ser siempre yo, yo, yo. En algún momento tienes que contar con los otros. Hay veces en las que los necesitas y aprecias el que estén allí. A mí, por ejemplo, cuando pasó lo del Chus, me ayudó mucho el que tú estuvieras conmigo.

Le paso el porro a Amalia.

—¿Tú no trabajas ahora?

—No. Estoy preparando oposiciones. ¿Ves todos esos papeles encima de la mesa? Cuando has llegado, estaba currando.

—Siento haberte molestado.

—No te preocupes. Ya estaba un poco harta.

Amalia sonríe y dice: cuidado, cuidado, que estoy fumando, y cuidado con el güisqui, mientras comienzo a besarla el cuello. La empujo, me pongo encima suyo, abro sus piernas con las mías, me froto contra ella.

—Carlos, que hay gente en casa, que está mi madre. Carlos, que no, que hay gente, que aquí no podemos. Venga, para...

Al intentar desabrocharle los pantalones, Amalia me agarra por la muñeca. Dice: no, aquí, no, que te lo estoy diciendo, pero continúo intentándolo.

—¡Que no, hostias! ¡Que te he dicho que aquí, no!

Yo me levanto y voy hacia la puerta, pero Amalia se interpone en mi camino. Dice:

—No, no te vas así.

Intento abrir la puerta pero ella no me deja.

—Deja de hacer el crío. Ven, siéntate conmigo. ¿No comprendes que aquí no podemos?

—...

—Sabes. Por un momento me has recordado al Chus. ¿Por qué siempre me tocarán a mí todos los raros? No sé. Era como cuando íbamos a la cama juntos y yo no tenía ganas y él comenzaba a frotarse contra mí y decía que venga, que le tocara un poco, que sólo eso, pero luego en seguida decía que no podía contenerse y que tenía que hacerme el amor. Y eso cada noche. Al final, terminaba por ser una obsesión. ¿Entiendes lo que te quiero decir? No puedes nunca forzar las voluntades de los demás. Es como una violación, una violación psicológica. Ven a sentarte en la cama conmigo. Vamos a hablar un poco.

—Hablar, hablar. Lo que queréis todos siempre es hablar, hablar, hablar y hablar. No os dais cuenta de que hay gente que prefiere no hablar, que no lo racionaliza todo, que prefiere la emoción a la lógica, que prefiere el instinto a la razón. Con hablar no se soluciona nada.

—Estás muy equivocado. Hablando se comunica la gente, hablando puedes expresar lo que llevas dentro, y comunicarlo es como curarse: evita que el problema se envenene y se pudra dentro. Ésa es la base de la catarsis. Yo trabajo así con mis chicos, que son gente retrasada, que no tienen ni la mitad de las capacidades que tú tienes, pero les haces jugar y comunicarse los unos con los otros, con gestos, con juegos, y al menos así pueden salir del aislamiento y la incomunicación a la que están condenados. Ellos, de todas maneras, lo tienen difícil de por sí, la sociedad no les va a aceptar, nadie va a hablar con ellos. La gente les trata como animales y les habla como se habla a los perros. Pero tú, que eres un tío inteligente, no tienes ningún problema y, sin embargo, no haces más que cerrarte. No sé lo que te pasa por la cabeza, pero, si no lo quieres decir, desde luego nadie lo va a adivinar y nadie te va a poder ayudar.

—Hablar, hablar, hablar. Estoy harto de escuchar sermones. Los viejos, tú, Nuria... Parece que os han dado cuerda. Estoy harto de ser el conejillo de indias de vuestras divagaciones. Psicoanalizaos a vosotros mismos y dejadnos a los demás en paz.

—Que no nos metamos en tu vida, vamos.

—Eso.

—¿Y tú crees que no te metes en la vida de los demás? ¿Qué es lo que crees que estás haciendo aquí conmigo ahora mismo? No tienes razón. Si de verdad pensaras así, ahora estarías metido en una cueva tú solo, y haría ya tiempo que te hubieras suicidado. Desengáñate, Carlos. Tú no eres nada sin los demás. Es lo primero de lo que te das cuenta cuando maduras...

—Cuando maduras, cuando maduras. Bah. Yo no creo que nadie madure. Uno es exactamente igual cuando tiene veinte que cuando tiene cuarenta. La gente no cambia nunca.

—Ahí sí que te estás engañando: sí que hay una maduración. Yo, cuando tenía tu edad, pensaba igual. Pero a todos los niveles... Que te crees tú que hubiera pensado que iba a pasar cuatro años con un tío, o que fuera a plantearme casarme, tener hijos con él y esas cosas que a ti te parecerán estúpidas. Pues sí, Carlos. Eso me ha pasado, le pasa a todo el mundo y te pasará a ti también, antes o después. Y te darás cuenta de las gilipolleces que hacías y te dará vergüenza recordarlas.

—Yo no me avergüenzo nunca de nada de lo que hago.

—Ésa es la mejor fórmula para avergonzarse. Pero vamos a dejarlo porque está claro que, ni yo te voy a convencer, ni tú tampoco. Así, no tiene sentido discutir.

170

—No es cuestión de convencerse. Cada cual es como es y punto.

—Eso es lo más triste. Al final, cada cual habla de sí mismo y se hace ilusiones sobre los otros, se cree que le comprenden. Pero nadie se comprende. Es muy triste darse cuenta...

—No pongas esa cara.

Amalia fuerza una sonrisa, le da un trago al güisqui. Yo me acerco para darle un beso, pero ella no me deja.

—No, Carlos. Estas cosas no se pueden hacer así. En un momento estás prácticamente forzándome; en el siguiente, te quieres ir con cara de cabreo y ahora me vienes con carantoñas. No se puede ser así.

Desde luego, hoy no es mi día. No hago más que recibir sermones. Todo sería mucho más fácil si fuéramos como perros, como dice Miguel. Ellos al menos no se andan con tonterías. Cuando están cachondos, se huelen el culo y, si se gustan, follan. Los seres humanos son un coñazo, siempre complicándose la vida.

—Lo que más me duele es que me has engañado, Carlos. Me has hecho creer que eras como no eres. Cuando hablabas conmigo al principio me ayudaste muchísimo a comprender a Chus. Yo pensaba que era porque habías sufrido lo mismo que yo, pero resulta que es porque eres como él.

—Coño, Amalia. Lo siento, ¿vale? Últimamente os ponéis todos contra mí...

—¿Ahora también eres paranoico?

Decido callarme. Ojeo el reloj: son las siete. Amalia está pensativa, mirando por la ventana.

—Amalia, soy yo. Salgo un momento a sacar el perro, así que estáte atenta al teléfono y, si llama Cleo, le dices que ahora mismito vuelvo. ¿Me has oído? —dice su madre, llamando a la puerta.

Amalia se levanta, baja el volumen de la música y

abre la puerta para contestar: sí, mamá. Cuando cierra otra vez, sin llave, dice:

—Sé lo que estás pensando, Carlos, y ya te he dicho que no. .

La intento besar de nuevo. Cuando aparta la boca, le digo al oído: venga, Amalia, por favor, te lo pido por favor, y le cojo la mano para que me toque el bulto de la entrepierna.

—Si lo hago, te juro que de ésta te vas a acordar.

—Venga, Amalia, por favor...

—Que no.

—Amalia...

—Ya te lo he advertido. Te lo voy a hacer, por pesado, pero no lo hago a gusto.

—Venga, Amalia, que yo te quiero...

—Ja, cómo miente el cabrón. Tú no sabes querer. Anda, túmbate en la cama, pesado. Espero que estés muy excitado y que no tardes mucho, porque en cuanto llame alguien o suene el teléfono, paro y ahí te quedas.

Amalia me abre la bragueta sin ningún cuidado y me baja los pantalones. Luego, empieza a tocarme bruscamente, sin ganas y sin besarme, pero a mí este sentimiento de que lo hace contra su voluntad me excita aún más. Bésame, le digo, y le agarro por la nuca para atraerla hacia mi boca abierta. Ella se resiste y rechaza mis lengüetazos mientras continúa masturbándome mecánicamente. Instantes después, me corro gimiendo y apretando su cara contra la mía.

—Bueno. ¿Ya está contento el niño? —pregunta sin sonreír.

Yo contesto que sí. Ella dice:

—Pues ahora coges, te abrochas los pantalones y te largas de aquí, que tengo que estudiar.

Dándome la espalda, se pone a escribir, pero suena el teléfono y tiene que levantarse para cogerlo.

Mientras habla por teléfono, aprovecho para abrocharme los pantalones y le pregunto, gritando, dónde está el baño.

En el cuarto de baño, me limpio el vientre con papel de váter, meo y tiro de la cadena.

Cuando salgo, Amalia está en su mesa estudiando; le digo que me voy y me dice adiós sin mirarme.

Tropiezo en la puerta con la madre, que está entrando con un pequinés feísimo atado con una correa.

—Huy, perdona, que no te veía. ¿Te vas ya?

Dentro del coche, miro el reloj (son las ocho menos cuarto) y decido pasar por el Kronen.

Manolo está solo en la barra y me saluda: qué pasa, Carlos.

—Ponme una caña, Manolo. ¿Dónde está el jefe?

—Buah. No sé qué le ha dado pero ha comenzado a mear sangre, ya ves qué movida, y ha salido acojonado para pillar un taxi para la Paz, tronco. No veas qué historia para explicárselo a su mujer por teléfono. La piba estaba acojonada. Pero lo peor es que me quedo yo aquí currando solo en el bar.

—Tampoco hay tanta gente.

—No, ahora no. Pero ya verás dentro de un poco cómo se empieza a llenar esto. Es que estamos en verano, tronco.

—¿Vas a salir después, cuando cierres?

—Uff. Muy mal lo veo, tronco. Estoy trabajando solo y voy a estar matado. Encima no tengo vitaminas, que estoy a dos velas. Si es que es la movida, que todo el mundo quiere pillar para irse, y el pastelero de mi barrio no da abasto, tronco. Y todos los colegas, claro, con los dientes largos. La vida así da asco.

—Al final vamos a tener que dejar de ponernos, vas a ver. O ir a Amsterdam.

—A Amsterdam, tronco. A Amsterdam me quiero ir yo este verano y, si voy, ya te digo, voy a bajar, como poco, cuarenta tripis.

—Dicen que la salida de Amsterdam está muy controlada.

—Bah, pero los tripis no huelen nada y no ocupan nada. ¿No ves que son papelillos? Los puedes meter en cualquier sitio, tronco. En la pasta de dientes, por ejemplo, y no te los pilla ni Dios.

—¿Has visto a alguno de los amigos de Roberto últimamente?

—Sí. Ayer pasaron por aquí el Asturias, que se iba a Gijón, y el Yoni. Los demás están de acampada, pero vienen mañana, creo.

—Sí. Vienen mañana.

—Y el David se ha ido de vacaciones a Alicante o a no sé dónde.

—O sea que hoy no sale ni Dios, vamos.

—No, de ésos, ninguno. ¿Te has enterado de que el viernes es el cumpleaños de Fierro?

—No lo sabía, no.

—Va a organizar una buena en su casa. Me ha dicho que a ver si le podía pillar tripis, pero creo que, tal como están las cosas, tronco, chungo. Hombre, intentaré apañar algo. A ver si hay suerte.

—A ver.

—El pastelero del barrio me ha dicho que para el viernes debería de haber farla. A ver si así se nos quita el constipado, que ya ves cómo tengo las narices, tronco.

—Invita a una copa, ahora que no está tu jefe, Manolo.

—Dime qué quieres, anda.

—Un Jotabé con cocacola.

—Espera que sirvo a ésos y ahora vuelvo.

—...

—Bueno, ya estoy aquí. ¿Un Balantains?

—No, un Jotabé... Entonces, ¿esta noche me dejas colgado?

—Yo, tronco, lo siento, pero estoy acabado. ¿Tú no tendrás algo de farla, no?

—No, pero tengo costo.

—Lo que a mí me hace falta es que me den cuerda. Si no, no aguanto. Pero así es la vida, tronco. Esperemos a que pase la sequía... Me cago en la puta, ya hay uno allí que ha tenido que hacer la gracia de romper la copa. Me cago en sus muertos.

Manolo coge una fregona de la cocina, sale de la barra y limpia el suelo con cara de mala hostia. Cuando termina, vuelve a meter el cubo en la cocina. Cada vez hay más gente en el bar.

—Oye, que no te he preguntado, Manolo. ¿Qué pasó con la cerda del otro día, la yanqui ésa?

—Uff. Ésa se puso de cachonda en cuanto comenzó a esnifar. Piqué como un loco, y porque sólo tenía un condón que si no, con la marcha que llevaba, tronco, no salimos de su cama en dos días. He quedado en llamarla esta semana y quiero llevarla a la fiesta del Fierro, a ver qué tal. Lo chungo es que se va dentro de diez días.

—¿A dónde?

—Se quiere ir a París, a visitar un amigo, y luego quiere viajar por Europa del Este.

—¿No viste nada escrito en el espejo?

—¿En qué espejo, tronco?

—Es que las cerdas en yanquilandia tienen la costumbre de follarse un tío por la noche y por la mañana dejarle escrito con pintalabios en el espejo: bienvenido al club del Sida.

—Anda, Carlos, no me vengas con tus historias macabras, que a mí no me asustas. Yo tomo mis precauciones, tronco. Eres igual que el Roberto, siempre fantasmeando. ...Esperad un momento, jóvenes, que ahora voy... De hecho me va a pasar Roberto el

Americansaico ése del que tanto habla, a ver si está tan bien como dice. Voy a servir a éstos.

—Manolo. ¿Me harías tú un favor?

—Eso depende del favor.

—Sácame otra copita del Jotabé ése, que hoy no está el jefe y hay que aprovechar...

—Muchas confianzas te estás tomando tú últimamente.

—Ya ves. Para eso son los amigos. La confianza da asco, ya lo sabes.

—Bueno, por esta vez sí. Pero cuando Paco esté aquí, nanai de nanai, que no quiero problemas.

—Que sí. Tranquilo, Manolo. ¿Has visto últimamente a la novia del Pedro?

—Qué va. Ésa, cuando el Pedro no está por aquí, no pasa nunca, tronco.

—El Pedro está enamoradísimo de ella.

—El Pedro, desde que está con esta piba, pasa de los colegas. El otro día estaba el Roberto quejándose de eso. Pedro se ha apuntado a la acampada porque su piba tenía que irse unos días a ver a su abuela, tronco, que si no, no va. La semana que viene se va a ir con ella a Sevilla...

—¿A la Expo?

—Sí, a la Expo. Allí queremos irnos a pasar unos días yo y mis colegas. Lo que pasa es que es carísimo pero yo creo que, a base de bocatas y durmiendo en tiendas de campaña y en coches, no puede salir tan caro.

—Cuatro mil pelas la entrada al recinto.

—Bah, pero es una vez en la vida. Es como la publicidad esa que han hecho sobre la Torreifel. Que es verdad, tronco, que esas cosas las puedes ver toda la vida, pero la Expo no se ve más que una vez... ¿Qué queréis vosotros? Una jarra, unas bravas, un Bailis y ya está, ¿no? Ah, sí, y un pincho de tortilla...

—Oye, ¿cómo se llama la cerda esa que te ha pagado? La del pelo por aquí con las pulseras...

—¿Qué? Está buena, ¿eh?

—Sí.

—Pues tiene novio.

—¿Cómo se llama?

Manolo pone unas jarras de cerveza y yo miro la tele que hay en una esquina del bar: la dichosa antorcha, que ya ni se sabe por dónde coño pasa, ocupa la pantalla. A ver si llega pronto a Barcelona y quema la ciudad.

—¿Cuándo van a empezar los juegos olímpicos, Manolo?

—En julio. Ya sabes, no, que no van a durar ni dos semanas. Dicen que son los juegos más cortos de la historia: los catalanes, tronco, ésos son los catalanes que nos chupan el dinero para luego poner anuncitos de Fridom for Cataluña.

—Mira el Pujol, ahora que sale. Qué feo es el cabrón. Se parece un poco a Fierro, ¿no crees?

—Qué hijoputa eres, Carlos. Por cierto. ¿Tú no te vas de vacaciones?

—No lo sé. Igual me voy este fin de semana a Santander, pero todavía no lo tengo decidido.

—¿Qué tienes, un apartamento allí?

—Sí. Un chalé.

—Qué bien vivís, hijoputas. Mientras los demás curramos para ahorrar unas pelillas para pagarnos el verano, vosotros ya tenéis el chaletito esperando a que os dignéis aparecer, tronco. Qué puta suerte tenéis. Y el Roberto igual: está pensando en irse a Marbella la semana que viene. Ya me gustaría a mí poder coger mañana para irme a mi chaletito de no sé dónde...

—Es la vida, Manolo. Los hay que nacen con estrella y los hay que nacen estrellados.

—Eso, tronco, es mucha verdad... A ver, ¿tú, qué quieres?

Son las diez en mi reloj. Decido irme.

—Manolo, voy a abrirme.

177

—Te cobro una caña, por lo menos, ¿no?

—Venga, la caña. Aquí te la dejo.

—¿A dónde vas a ir?

—A las terrazas de la Castellana, a ver qué tal están de ambiente.

—Yo creía que tú odiabas las terrazas.

—Ya, pero hay buenas cerdas. Hala, me voy.

—Nos vemos antes del viernes o en la fiesta del Fierro.

—Y si sale algún tema, me llamas.

—Hasta luego, Carlos.

Es de noche y no hay mucha gente en las terrazas, que este año no están de moda, así que decido ir a la Vía Láctea a ver si está la dueña, que es una cerda que me gusta, una punka que se pasea siempre con un pastor alemán.

Castellana, Colón, Santa Bárbara. En Fuencarral encuentro un sitio para aparcar.

Un bigotes con botas camperas me abre la puerta de la Vía Láctea.

Dentro, no hay nadie. La camarera está aburrida, hablando con el pinchadiscos. No está la cerda que busco, pero decido tomar una copa. Pido un güisqui y le pregunto a la camarera si necesitan gente para trabajar en la barra.

—Yo, de eso, no sé. Para eso tienes que hablar con Rosa, que es la chica alta y morena, con pelo muy rizado, que suele estar por aquí, que siempre va con un perro. ¿Sabes quién te digo? Si quieres, puedes esperar un poco. Igual pasa.

Sonrío y me tomo mi copa tranquilamente.

A mi alrededor no hay nada interesante: una pareja se está dando el lote en una esquina y los que están jugando al billar son todo pollas. El pinchadiscos, aburridísimo, está viendo la tele. Ha puesto una cinta para no tener que cambiar discos. Yo comienzo a rular hasta que la camarera me toca el hombro, no, aquí no, y señala un cartel que dice: prohibido fumar porros. Justo en ese momento entra la cerda de las melenas por la puerta. Lleva pantalones ajustados y chupa vaquera sin mangas; un pastor alemán negro la sigue sin correa.

Trago lo que me queda de copa y me acerco a ella. El perro gruñe. Le piso disimuladamente la pata. El chucho pega un ladrido y me muerde las botas. Luego se pone a gemir.

—¿Pero qué has hecho, pringao? Ten un poco de cuidado. Ven aquí, Charli, cariño, que no ha sido nada. No llores.

—Perdona. Ha sido sin querer.

—Así, Charli, tranquilo, tranquilo.

Rosa acaricia al perro, que sigue lloriqueando, lamiéndose una pata.

—¿Eres tú Rosa?

—Sí, soy yo —dice, poniéndose de pie.

—Antes he preguntado por ti en la barra. Era para ver si necesitabais a alguien para servir copas.

—¿Has trabajado en algún sitio antes?

—Bueno, no...

—No te preocupes. De todas maneras, ya estamos completos y no necesitamos a nadie hasta agosto. Pero si pasas a preguntar el mes que viene, igual tenemos algo.

—Bueno. De hecho, el trabajo es una excusa.

—¿Ah, sí?

—Sí. Para hablar contigo.

—¿Qué quieres? ¿Qué montemos una tertulia? Anda, ábrete, mocoso, y deja de hacer el ridículo... Quiere hablar conmigo, ja, ja, qué gracioso.

Rosa me da la espalda y sale. Yo la sigo, pensando no darme por vencido sin haber peleado pero, fuera, la muy cerda se acerca al bigotes de la puerta, le acaricia la mejilla y le da un lengüetazo.

Según me alejo por la calle, les oigo reír a mis espaldas.

Que te mame tu perro, puta.

Cuando llego a casa, ya está todo el mundo acostado. Sobre mi cama encuentro un papel escrito con letra de mi padre. Lo acerco a la luz de la lámpara y leo: Mañana, cremación del abuelo a las cuatro de la tarde. No lo olvides. Comemos en casa.

XII

—Carlos, teléfono.
—¿Quién es?
—Miguil.

Me levanto bostezando y me restriego los ojos, que están llenos de legañas. No tengo clavo y estoy relativamente despejado, pero cansadísimo. Todavía en gayumbos, me arrastro hasta el salón.

Cojo el teléfono.

¿Sí?... Qué pasa, Carlos. ¿Te he despertado?... Más o menos... Joder, que ya son las doce. Cada vez que llamo a tu casa, o estás durmiendo o no estás. Bueno. He tenido un problema y es que el Niñas se ha quedado seco. Se va de vacaciones y ha cerrado el quiosco, o sea que he pensado que, como el otro día pillaste con Roberto, igual podías apalabrarme cincuenta gramos para mí y para Ramiro... No sé. Nos pasa un amigo del ex novio de mi hermana. Si quieres, puedo llamarle, a ver qué pasa... Te lo agradecería un montón. Dile que es algo un poco excepcional. Tú lo sabes bien que el Niñas no falla casi nunca, que os llevo pillando a ti y a Roberto todo el año... Sí, no te preocupes, Miguel... Los doce a cinco,

¿no?... Sí... Vale, pues le llamas y te llamo yo luego desde la oficina... Dame un toque después de comer, entre dos y media y tres... Bueno... Oye, una cosa, Miguel. Fierro va a dar una fiesta el viernes, ¿te ha invitado?... A mí no me ha dicho nadie nada... Ah, pues ya te lo dirá Roberto cuando te vea... Ya veremos. Te llamo a las dos y media o tres, entonces... Sí... Pues hasta luego, Carlos... Hasta luego, Miguel.

Cuelgo y estoy yéndome otra vez a la cama cuando el teléfono vuelve a sonar. Lo cojo.

Hola, Carlos. Soy Nuria. No pienses que te vas a escabullir diciéndole a tu chica que diga que no estás, que yo te conozco bastante. Ahora que ya te he atrapado, explícame por qué me dejaste colgada el otro día en el Pizzajat con la cuenta, y por qué no has llamado para excusarte... Mira, Nuria, se acaba de morir mi abuelo y no es el mejor momento para que me grites por teléfono... ¿Se acaba de morir tu abuelo?... Sí. Anteayer por la noche. Hoy le llevan al crematorio... Ah, pues lo siento. De veras. ¿Es el viejecito que vi una vez contigo en Santa Bárbara?... Sí, ése... Ay. Me impresiona pensar que hace unas semanas le vi yo con vida y que ahora esté muerto. Qué pena, de verdad... En fin, Nuria. Ahora no estoy de humor. Te llamaré otro día, ¿vale?... Bueno, vale, pero espero que sepas que no te puedes librar así de fácilmente de mí... Mira, Nuria, te llamo dentro de unos días.

Cuelgo, y esta vez sí que me voy a la cama. Al pasar, le digo a la fili que, si llama alguien más, que no me despierte porque no pienso levantarme.

—Otra cosa, Tina. ¿Sábes dónde están mis padres?

—En trabijo.

—¿Sabes si vienen a comer?

—En trabijo, trabijo.

A las dos, suena el despertador y me levanto de nuevo. Alguien llama al timbre mientras me ducho. Poco después, oigo la voz del viejo que dice: Tina, pon la comida, por favor.

Mi madre, que acaba de llegar, entra en mi cuarto. Dice:

—Vaya, Carlos. Menos mal que por fin te pones la camisa que te he comprado. ¿Verdad que es bonita la camisa de Carlos, Miguel? A ver si también te cortas un poquito el pelo y así te adecentas del todo.

Le digo que me voy a cortar el pelo al cero y la vieja chasquea la lengua.

—Si es que no tienes término medio, Carlos. ¿Por qué no puedes ir normalito y bien por una vez?

—A mí me parece bien que se corte el pelo todo lo que quiera.

—Calla, Miguel. Este niño me va a matar a disgustos.

—Venga, mamá. No empieces con tonterías.

—Si es que no me tienes ningún respeto. No sé yo qué he hecho para que me trates así.

La fili anuncia que la comida ya está en la mesa.

—¿Y Quique?

—Quique, en piscina.

—Sal a llamarle, Tina.

La filipina sale al jardín y, poco después, entra Quique en bañador. Está mojado y lleva en la mano una camiseta.

—Quique, ve a cambiarte, que después de comer tenemos que irnos.

—¿A dónde?

—Al crematorio.

—¿Qué es eso?

—El crematorio es donde incineran al difunto para luego meter sus cenizas en una jarra.

Quique va a cambiarse mientras los demás comenzamos a comer, viendo el telediario.

Suena el teléfono y mi padre lo coge.

—Es para ti. Miguel.

¿Sí?... Oye, Carlos, que soy Miguel, que si has preguntado eso... No he podido, le he llamado antes pero no estaba. Le llamaré ahora otra vez por la tarde... Bueno. En cuanto hables con él, me llamas, vale. Yo estoy en casa a partir de las seis... Vale... Hala, hasta luego, Carlos... Hasta luego.

Cuelgo y vuelvo a la mesa.

Cuando llegamos a la entrada del cementerio de la Almudena, el viejo se para en una floristería y compra dos ramos de flores. Poco después llegamos al crematorio.

El ataúd del abuelo está al fondo.

Nos sentamos en los bancos mientras el encargado del crematorio se acerca al púlpito y lee una oración corta sobre la muerte. La muerte no es más que el principio y no el final de la vida y etcétera, etcétera.

El viejo y el tío Juan se emocionan. Se abrazan de forma melodramática.

—Ahora vamos a proceder a la cremación del cuerpo del difunto —dice el encargado del crematorio. Esperen fuera y dentro de una hora les entregamos las cenizas.

Salimos y esperamos.

El tío Juan le comenta a mi padre qué raro es que el abuelo, con lo clásico que era, hubiera preferido que quemaran su cuerpo a que lo enterraran. El viejo dice que ha sido la influencia de aquel cura jesuita del que padre se había hecho amigo durante sus últimos meses de vida. Es el mismo cura que va a decir la misa del funeral.

Estoy pensando que es una putada que el funeral sea la semana que viene, porque tendré que venir de Santander y hacerme un viaje de ida y vuelta en el día.

—Hombre, Carlos. Alegra un poco esa cara, primo. Mis primas...

—La verdad es que el primo no tiene muy buena cara, ¿verdad, Martina?

—¿Es todavía lo del abuelo? A mí, la verdad es que ya se me ha pasado. Fue más bien lo de la abuela lo que más me afectó. Aquella vez estuve mal al menos durante una semana.

—Y yo, tía, no te creas. Qué mal lo pasé.

—¿Y tú, Quique? ¿Lloraste mucho cuando murió la abuelita? ¿Verdad que era muy buena la abuelita? ¿A que te daba muchos dulces y golosinas? A que de eso te acuerdas, ¿eh Quique?

Sara, que está vestida de negro, murmura: era muy buena, sí. La abuela se portaba muy bien conmigo, sí. Y el abuelo también era muy bueno. Eran los dos muy buenos, sí.

El encargado del crematorio sale de la capilla y nos da una urna que lleva el nombre de mi abuelo grabado en una plaquita.

—La vasija la he escogido yo —comenta la tía Carmen—. ¿A que es bonita?

Nos volvemos a meter en el coche. Mi tío nos sigue en otro coche.

Cuando paramos, salimos y el viejo toma la urna de entre las manos de la vieja. Él y el tío Juan van delante, llevando de la mano a Sara. Los demás les seguimos en procesión desordenada hasta que llegamos a una tumba de mármol grande. La tumba está abierta por una esquina. El viejo le da un beso a la urna y la introduce por el hueco que queda abierto. Adiós, papá. Luego le da un abrazo a su hermano.

Después de esto, volvemos a los coches.

—Pero qué moderno vas con esa melenilla —comenta mi tía.

185

Una vez en casa, me siento aliviadísimo de poder coger el escarabajo y salir.

Un poco más tarde estoy en casa de Roberto. Ana, la hermana de Roberto, me abre la puerta y me dice con una sonrisa:

—Pasa, está en su cuarto.

Roberto está en bañador, tumbado en su cama, escuchando música.

—¿Qué es esto? —pregunto al entrar en la habitación.

—¿El qué?

—La música.

—Es Sonic Yuz.

Roberto, aparte de la perilla, tiene la barba crecida de unos días.

—Bueno. ¿Qué tal la acampada?

—Bah, bien, como siempre. El primer día estábamos tan fumados que no llegamos ni a montar las tiendas de campaña.

—Hey, ¿qué es esto de la fiesta del Fierro?

—Ah, sí, que el viernes es el cumpleaños de Fierro y va a dar una fiesta. Pero algo pequeño, los del grupo, Manolo y Miguel. No quiere que vaya mucha gente.

—¿Qué vais a regalarle?

—Yo le voy a comprar un disco y estamos pensando en regalarle una camiseta firmada por todos. Pedro le va a comprar una botella de Yakdaniels.

—Yo creo que ya sé lo que voy a comprarle.

—¿El qué?

—Un vibrador y un botecito de Popers para que lo esnife antes de correrse.

—Seguro que le encanta.

—No te rías, que va en serio.

—Bueno. Y tú, ¿qué tal?

—Pues como siempre.

—Yo estoy harto de Madrid, te juro que estoy hasta los cojones. La semana que viene me voy a ir a Marbella.

—Yo estoy pensando lo mismo. El sábado mismo, después de la fiesta del Fierro voy a ver si me puedo pirar.

—¿A Santander?

—A respirar aire puro.

—A pillar mangas todavía más gordas, que a mí no me engañas.

—¿Puedo telefonear un momento, Roberto?

—Sí, claro. El teléfono está en el salón.

—Es que tengo que llamar al Santi, el del otro día, para ver si puede pillarle algo a Miguel.

—¿Y el Niñas?

—Se va de vacaciones. Ahora vuelvo.

Llamo a Herre.

¿Sí?... Hola. ¿Está Manuel, por favor?... No. Ha salido un momento a pasear el perro; si le quieres llamar, estará aquí en cinco minutos, no creo que tarde más. Ah, espera que creo que entra por la puerta... ¡Manolo! ¡Te llaman!... ¿Sí?... Hola, Herre, qué tal. Soy Carlos... Hola, Carlos, qué tal... Oye, ¿me puedes pasar el teléfono de Santi?... Yo el teléfono te lo puedo dar, pero lo que pasa es que el Santi se ha ido ayer a La Manga... ¿A La Manga?... Sí, y ya se queda allí por lo menos hasta agosto... Pues entonces, nada. ¿Tú no conocerás a nadie que pueda pasar ahora, no?... Hombre. Así en frío, no, sabes. El que controla el tema es Santi. Conozco a uno que pasa los doce a seis pero es caro, sabes... Ya. Bueno, pues nada. Gracias, de todos modos, y a ver si nos vemos... Nos vemos, Carlos... Hasta luego, Herre.

—¿Qué? ¿Hay suerte? —pregunta Roberto.

—Nada. El Santi éste se ha ido a La Manga. Voy a llamar a Miguel para decírselo. ¿Qué hora es?

—Las siete menos cuarto.

Oye, ¿Miguel?... Qué pasa, Carlos... Que nada, que ya he llamado al tipo éste y que se ha pirado a La Manga. Ya no vuelve hasta agosto... Qué cabrones. Hasta los camellos se van de vacaciones y yo, aquí,

187

currando como un perro... De todas maneras, el ex novio de mi hermana me ha dicho que te puede pillar los doce a seis... Pero, ¿estás loco? Yo en mi vida he pillado a seis... Eso es lo único que hay... ¿Qué pasa? El otro día os pasa a cinco y ahora a seis... No es el mismo tío, Miguel... Esto es la ley del camello. Yo también lo hago. Cuando hay gente de la facultad que quiere pillar a través mío, si a vosotros os lo paso a cuatro, que es lo que me cuesta a mí, a ellos les paso a cinco y así pago mi parte. Es lo normal. Eso sí, jamás he pasado a seis. Eso no lo paga nadie en Madrid... Pues lo siento, Miguel. Es lo único que había... Si no es culpa tuya, Carlos. La culpa es del Niñas, que me ha fallado. De todas maneras creo que Ramiro podrá conseguir algo... Oye, una cosa. Me dice Roberto que el viernes es el cumpleaños de Fierro y que estás invitado... ¿Dónde vive el Fierro?... En Puerta de Hierro... Igual me voy con Celia a Cercedilla... No sé, yo el sábado me voy. Si te quedas, podemos pillar la última manga juntos... ¿Te vas a Santander?... Sí... ¿Solo?... Sí... ¿Podrías invitarnos a Celia y a mí unos días?... Si queréis venir... No, hombre. No te preocupes que tengo que currar en julio. Además estoy jodido porque ahora todo va muy mal. No hay dinero en ningún lado y lo último que quiere la gente es gastarse el dinero en seguros. Y yo, así, no vendo nada. En agosto, ya va tu familia, supongo... Sí... Bueno, pues nada. Voy a ver si consigo arreglarlo para ir el viernes. Tú, de todas maneras, ¿tienes algo que hacer mañana?... No, ¿por qué?... Para que me acompañes al Kronen a hablar con Manolo, que tú le conoces mejor... Bueno, pero él no pasa costo... Ya, pero es que Celia y yo queremos pillar unos gramitos de coca... Bueno, tú llámame mañana y vamos... Vale, yo te llamo... Hala, pues hasta luego, Miguel... Hasta luego, Carlos.

—¿Qué te ha contado Miguel?

—Nada en especial. Mañana he quedado con él

188

para ir al Kronen. Bueno, ¿te apetece hacer algo, Roberto?

—Hombre. Yo, esta tarde, había pensado no salir y descansar un poco, que estoy muy acabado...

—Qué hostias descansar. Ahora vamos a escuchar música y a fumar unos porros, y luego habrá que salir.

—A los porros no les digo nunca que no, pero salir...

—Anda, vamos a tu cuarto. ¿No están tus padres, verdad?

—No. Tenemos como una hora, antes de que lleguen.

—Perfecto. Y, en cuanto lleguen, salimos.

—No sé, no sé.

—Venga, Roberto. No me dejarás colgado, ¿no?

—Siempre me acabas liando. No sé cómo lo haces, pero siempre me acabas liando.

—Vamos a tu cuarto.

—¿Puedo rular aquí?

—Sí. No hay nadie. Pero escucha este disco de los Pixis, que es cojonudo.

Ana abre la puerta, asoma la cabeza y dice:

—Roberto. Fierro, al teléfono.

—Ya, ya voy.

—A tu hermana no le importa que fumemos, ¿no?

—No.

—¿Qué quería Fierro?

—Nada, decirme que estemos a las diez el viernes en su casa, que te lo diga a ti y que llame a Miguel, que él va a llamar al Pedro y a Guille.

—¿Y los otros?

—El Asturias ya está en Gijón. El David se ha ido antes de ayer de vacaciones y el Raúl y el Yoni se van de cámping mañana. Va a ser una fiesta de lo más matada. Además, ha dicho Fierro que ha pasado por el Kronen y que Manolo dice que, de tripis, nada. A ver si por lo menos hay coca. De todas maneras, para mí, ésta va a ser la última juerga un poco dura. Bueno, y el sábado también, si tengo pelas, porque el domingo quiero descansar antes del viaje.

—¿Te vas el lunes, al final?

—Si puedo, sí.

—Yo, el sábado, sin resaca o con ella, me voy, porque no aguanto otro fin de semana en casa con los viejos.

—¿Sabes que ya he terminado de leer Americansaico? Es cojonudo. Te juro que Beitman es todo un filósofo: me ha enseñado a despreciar la humanidad.

—Pat es único.

—Ya.

—Vamos a dar una vuelta en coche, Roberto, que estoy agobiado.

—Yo estoy demasiado quemado.

—Venga, Roberto. ¿No te apetece escuchar música a tope a cientosesenta por la Emetreinta?

—No. Eso no. Si quieres, vamos a dar una vuelta pero no me apetece correr.

—Pat Beitman nunca diría que no a una proposición así.

—Sí, pero Pat tendría en el bolsillo dos gramos de coca y yo, lo que tengo, es una resaca del carajo.

—Venga, Roberto, que con otro porro se te quita la resaca.

—Si quieres, vamos. Pero yo quiero volver pronto a casa, te lo advierto.

—Eso es, Roberto. Pat estaría orgulloso de ti. Saliendo a la búsqueda de asquerosos vagabundos a los que atropellar. Eres todo un héroe moderno.

—Déjate de historias, Carlos.

—Te acojonarías, ¿eh? Beitman no lo dudaría un segundo.

—Sí, pero yo no soy Beitman. Espera que cojo el radiocaset. Ana, que Carlos y yo nos vamos. Dile a mamá y a papá cuando vengan, que hoy vuelvo pronto. Hasta luego.

—Hasta luego, Ana.

—No hace falta que le sonrías así a mi hermana, que tiene novio.

—Era sólo una sonrisa, Roberto.

—Pero a ti te conozco. A mi hermana, ni tocarla.

—Ten un poco de sentido del humor. No se me ha pasado nunca por la cabeza liarme con tu hermana. Es un bebé.

—Mejor será...

—Sonríe un poco, Roberto. No seas gruñón.

—No, no sonrío porque siempre me estás liando para hacer cosas cuando no me apetece nada.

—¿Dónde tienes el coche? ¿En el garaje?

—Sí. Ahí en la esquina.

—Estás estresado, Roberto. Relájate. Lo que te hace falta es liberar toda esa energía negativa sobre algún objeto adecuado...

—¿Sobre un vagabundo, por ejemplo?

—No está mal como ejemplo. Vas aprendiendo las lecciones de Pat.

—Y si descargo mis pulsiones sobre ti, ¿qué pensarías?

—Venga, Roberto. Tú y yo somos amigos. Ya nos conocemos desde hace años.

—A veces te juro que no sé, no sé...

—¿Qué? ¿Piensas que no soy tu amigo?

—Sí. Supongo que sí, pero...

—Pero nada, eso es todo. ¿Sabes que hoy he tenido que ir a la cremación de mi abuelo?

—No me has dicho nada. Lo siento.

—¿Cómo que lo sientes? Pat estaría avergonzado, si te hubiera escuchado pronunciar esas palabras. Lo peor es que se ha muerto de muerte natural, qué aburrido.

—Sí, ja, ja. Seguro que Pat hubiera gozado destripando a su abuelo.

—Ahí está, ya estás reencontrando el espíritu de Pat.

—Entra y vamos a dejar a Pat un poco tranquilo. ¿A dónde vamos?

—Vamos a coger la Emetreinta.

—Te he dicho que hoy no es el día, joder, que estoy cansado.

—Venga, Roberto. Si conducir por la Emetreinta es lo más relajado que hay. Mucho más relajado que tener que frenar, arrancar, torcer por callejuelas, ver guardias...

—Vale, vale. Vamos a la Emetreinta pero no me comas la olla con tus ideas raras...

—¿Qué ideas raras?

—Pues qué sé yo. Todas esas cosas que me metes en la cabeza.

—¿Que quiera dar una vuelta contigo? ¿Que quiera evitarte los esfuerzos de la diabólica circulación de Madrid? ¿Es eso ser raro?

—No me hables tan alto, por favor, que tengo la cabeza como un bombo.

—Pues no me vengas con tonterías, entonces. Vamos por la Emetreinta, Roberto.

—Vale, vale. Vamos por la Emetreinta pero no me grites, por favor.

—¡Qué hijoputa el peseto! ¡Pítale! ¡Pítale, hostias! Que se quite de en medio, que no se pare así.

—Déjale, que está cogiendo un cliente.

—Una puta, quieres decir. ¡Eso eso! ¡Pítale más, venga! Que nos dé luces y que grite todo lo que quiera.

—...

—Sal a la autopista. Pero no, coño. No cojas la dirección norte, que ésa estoy hasta los huevos de pillarla. Métete hacia el sur. Pero con más ánimo, Roberto, joder. Que no se diga...

—Hoy es día de resaca, ya te lo he dicho. No estoy bien.

—Come esto y vas a ver lo bien que te vas a sentir.

—Que no, que paso. Hoy, paso.

—Bueno, pues nada. Al menos, acelera más. Cualquiera diría que llevas un seiscientos. Ponte a la izquierda, joder, no seas marica. ¡Pero métele el pedal a fondo! ¿O quieres que se lo meta yo?

—¡Vale, vale! ¡Ya acelero, pero no me toques los pedales y suelta el volante, coño!

—Bah. No tienes ningún sentido del riesgo. Deja, deja, échate a la derecha. Contigo no se puede ir a ningún lado. Eres un marica, no tienes cojones.

—Claro que tengo cojones. Tengo tantos como tú o más. ¿Quién te ha llevado a cientosesenta por la carretera de Manzanares? ¿Quién ha dado trompos en la Castellana?

—Bah. Historias que cuentas. No tienes cojones.

—Lo que pasa es que estoy con resaca, joder. ¿Qué quieres que haga? ¿Que me ponga a cientosesenta a hacer eses? Pues venga, mira. Ahí están...

—Eres un marica, Roberto. No tienes cojones. No puedes.

—¡Pero mira! ¡Ya vamos a cientosesentaycinco! ¡Quítate de en medio, HOSTIAS! ¡Déjame pasar, puto Mercedes!

—Sal por la siguiente desviación.

—¡Qué pasa! ¿¡No soy un marica!? ¡No querías emoción! ¡Pues ahí la tienes! ¡EH! ¿Estás loco o qué te pasa? No me toques el volante que casi nos matamos...

—Te he dicho que salgas por la siguiente desviación.

—Vale, vale, tranquilo. Lo que quieras, pero no me toques el volante. Casi nos llevamos por delante al Ibiza ese; es normal que nos pite...

—Ahora frena en el semáforo y dale la vuelta al coche. Haz pirula.

—¿Estás loco? Yo paso de hacer el suicida.

—Ves cómo eres un puto marica. Nunca serás capaz de hacer nada.

—Mira. Deja de llamarme marica, que no viene a cuento. ¿Por qué no lo hacemos en tu coche, anda?

—Si tuviera un coche que corriera un poco, un Golf, por ejemplo, lo haría. Venga, Roberto. Lo hacemos en esta calle, que no es autopista, sólo hasta la próxima incorporación y salimos ya bien a la Emetreinta. Que no son ni cien metros. ¡Venga, Roberto, hostias! ¡No seas tan cobarde! Eres un DÉBIL. ERES UN MARICA.

—¡No me grites, POR FAVOR!

—¡DÉBIL Y MARICA! ¡ARRANCA! ¡ARRANCA, HOSTIAS! ¡ARRANCA!

—Que no me llames marica, joder.

—¡ARRANCA, HOSTIAS!

—Tú lo has querido. ¡AHÍ VA! ¡AGÁRRATE!

—¡NO FRENES! ¡ACELERA! ¡ACELERA! ¡ESO ES, ROBERTO! ¡ESO ES! ¡QUE SE JODAN! ¡PITAD! ¡PITAD, HIJOS DE PUTA! ¡PITAD Y APARTAROS! ¡VENGA, ROBERTO, QUE SE APARTAN TODOS! ¡QUE SÓLO QUEDAN CINCO METROS! ¡ESO ES! ¡LO CONSEGUISTE! ¡LO CONSEGUISTE, ROBERTO!

—...

—Te juro que no pensé que lo fueras a conseguir. Ahora, acelera a tope y vámonos antes de que alguien nos identifique. ¡Ha sido COJONUDO! ¡UAUUAUUAU! ¡Pero tío, no te pongas tan blanco! ¡¿Has visto la cara del primer Renol?! ¡Seguro que a la vieja le ha dado un infarto! ¡Eres increíble, Roberto! ¡UAUAUAUAUAUU! ¡Ha sido LA HOSTIA!

—No nos hemos matado de milagro. Menos mal que se han apartado todos. ¿Tú crees que a alguno se le ha ocurrido anotar la matrícula? Si alguien nos denuncia, se nos caen los huevos.

—Qué va. Se han quedado tan acojonados que a nadie se le ha ocurrido. Vamos, no creo. Además, es de noche.

—Eso espero.

—Ha sido la hostia...

—Ahora que te has quedado contento, quiero irme a casa, que no me siento nada bien. Después de esto, al que casi le da un infarto es a mí.

—¡Roberto, te juro que eres el tío con más cojones del mundo! Espera a que se lo contemos al Miguel, vas a ver cómo va a flipar.

—Va a pensar que estamos locos. Normal.

—Venga, Roberto. Ahora sí que nos merecemos unas copas. Vamos a Malasaña, que hay una cerda que me mola.

—No, lo siento, Carlos. Yo, después de esto y con la cabeza que tengo, no voy a La Vía Láctea, y menos para verte a ti comerte a una guarra. Yo me voy a casa.

—¿No te irás a rajar ahora, Roberto? Después de lo que has hecho, no me digas que no te apetece una copa.

—Yo me voy a casa, ya te lo he dicho. Tú haces lo que quieras, pero yo tengo que meterme en la cama. Y a base de yogures, que estoy descompuesto.

—Vale, tranquilo, tranquilo, hombre. Estaba intentando animarte.

—Pues déjame un poco en paz, Carlos.

—Bueno, hombre, bueno. No te pongas así.

—Cállate, te he dicho, por favor. Que me zumba toda la cabeza.

—¿Quieres que conduzca yo?

—Ni hablar. Yo lo hago.

—Bueno. Ya estamos en tu casa, Roberto. ¿Me vas a dejar colgado?

—Espera que aparque. Si quieres, nos podemos tomar unas bravas, pero no más. Luego me subo y me meto en cama.

—Si te pones así, casi prefiero irme.

—...

—Bueno, ¿ya subes? En ese caso, yo me voy a mi

coche. Tío, no te pongas así, que todo ha salido bien, ¿no? Venga, ¿te llamo mañana? Hala, hombre, qué cara pones a los amigos. Dime hasta luego, al menos.

—...

—Joder con el Roberto.

XIII

Hoy me he levantado pronto: es la una menos cuarto.

Desayuno en el salón y, antes de salir a la piscina, llamo a Roberto.

¿Roberto?... Sí... Qué pasa, soy Carlos... Qué pasa, Carlos... Dime, ¿te he despertado?... No, qué va. No te preocupes. Hoy tengo el vientre jodido y no he podido dormir bien... Igual tienes una úlcera o algo así... Qué va, qué va. Lo que pasa es que ya son unas cuantas borracheras de seguido y al cuerpo le cuesta aguantar... Bueno, ¿se te ha quitado la mala hostia de ayer?... Sí. Lo siento pero estaba mal, con resaca y cansado. No estaba en forma... Fue la hostia, ¿eh? ¿Te acuerdas del careto de la vieja del Renol, cuando nos vio venir en dirección contraria? Era para haberlo filmado... Yo sólo espero que nadie haya tomado la matrícula... Bah, que no pasa nada, tranquilo. ¿Vas a salir esta tarde?... No. Hoy todavía estoy mal. Me voy a quedar en casa para descansar y estar mañana en forma para la fiesta de Fierro... Yo voy a pasar con Miguel por el Kronen. Si quieres pasarte, estaremos allí a partir de las nueve. Y si no, nos llamamos mañana antes de la fiesta para ir juntos, ¿vale?... Vale... Bueno, Fitipaldi. Cuídate y ponte bien para mañana. Hala, hasta luego, Roberto... Hasta luego.

Llamo a Amalia.

Hola. ¿Está Amalia, por favor?... Sí, un momento. ¡Amalia!... ¿Sí?... Hola, Amalia, qué tal. Soy yo... Qué tal... No me pongas esa voz, por favor. ¿Estás mosqueada conmigo?... Ligeramente... Venga, tía. Te mosqueas con nada. Dime, ¿te apetece dar una vuelta?... No. Tengo mucho que hacer... ¿Qué tienes que hacer?... Tengo que preparar oposiciones... ¿Vas a estudiar durante toda la noche también?... Sí... Bueno, pues entonces nada. Pero mañana da una fiesta un amigo. Mañana, que es viernes, sí que no te vas a poner a estudiar... No sé. Llámame mañana, si quieres... Bueno, te llamo mañana pero no me falles, ¿eh?... Llámame y veremos... ¿Te llamo al mediodía?... Sí... Bueno. Hasta mañana, Amalia... Hasta mañana.

—¿Ha llamado alguien, Tina?

—Nadie, nadie.

Le digo a la filipina que me suba una toalla y estoy ya saliendo al jardín cuando suena el teléfono. Vuelvo a entrar.

—¿Sí?... Oye, Carlos, que soy Miguel... Qué pasa, Miguel... Quedamos esta tarde a las ocho en mi casa para ir al Kronen, ¿te parece bien?... Vale. A las ocho estoy ahí... Bueno, pues sólo era eso. Hala, hasta luego, Carlos... Hasta luego, Miguel.

En la piscina, tomo el sol durante un par de horas hasta que la fili sale al jardín y grita:

—¡Carlos, comer!

Mi padre y el enano están comiendo en silencio, viendo la tele.

Me siento con ellos y como.

En el telediario, ponen las noticias de siempre: la maldita antorcha, el rey en la Expo y la movida de Yugoslavia (hoy los serbios han bombardeado no sé qué pueblo y las fuerzas de la Onu han intervenido en un aeropuerto).

Suena el teléfono. El viejo lo coge y se le alegra la cara. ¿Qué tal estás, hija? ¿Todo bien? Sí, por aquí, todos muy bien pero te tengo que dar una mala noticia. ¿Te acuerdas de que el abuelo estaba muy mal? Sí, es muy triste, ya lo sé...

—No voy a tomar postre, Tina. Ah, y si llama alguien, estoy durmiendo la siesta, ¿me has entendido? —digo, levantándome.

Me voy a mi cuarto y pongo el despertador a las seis y veinte. Antes de dormir, me hago una paja.

Cuando suena el despertador, lo apago con un manotazo. Me incorporo y tardo un poco en recuperar la tensión.

Pongo el compact y oigo cómo mi hermano me dice desde el salón:

—Podrías cambiar un poco de música, ¿no?

Termino de ducharme, a las siete menos cuarto. Es un poco pronto todavía, así que decido ir a cortarme el pelo.

La peluquería de la Moraleja.

—Pasa por aquí, que te voy a lavar el pelo —dice una de las peluqueras.

Me siento en la posición de lavado, que me da dolor de cuello, y consigo soportar más o menos bien el repelús que me produce sentir a alguien tocándome la cabeza. Cuando la cerda termina, me pone un mandil de plástico con un collarín horrible y me dice que me siente en una de las sillas. Luego, un julandrón con acento de pijo se acerca con un peine y unas tijeras. Pregunta:

—¿Cómo quieres que te lo corte? ¿Con melenilla? ¿A capas? ¿Te dejo flequillo?

— Al cero.

—Ah, bueno. Entonces voy a por la maquinilla.

A las ocho menos cinco estoy en el portal de Miguel, y llamo al telefonillo: venga, Miguel, baja.

—Espera que ahora bajo.

Miguel aparece por la puerta, me mira y se tapa la boca con la mano.

—¡Pero joder! Pero, ¿qué me han hecho? Me han cambiado al Carlos que yo conocía. Con lo que molaba tu pelo. Estás colgado.

—¿Qué tal me queda?

—No, si estás guapo. Te pareces a la Sidni Oconor ésa, o como se llame. Pero es un cambio.

—Ya.

—Cuando te vea Celia, se va a quedar acojonada.

—Venga, Miguel. ¿Qué pasa con Celia?

—Nada, que hay que pasar a buscarla.

—Pues vamos, ¿no? ¿Vamos en tu coche?

—Si es que, Carlos, me has dejado acojonado. Déjame al menos que te dé la colleja de honor.

—Te dejo, pero con la condición de que no me des más la coña.

El Alfa Romeo de Miguel está aparcado enfrente de su portal.

Miguel arranca, pone música y, de vez en cuando, me mira. Dice: pero tronco, lo que te has hecho. En cuanto te vea Celia, va a flipar.

Algo después recogemos a Celia, que vive al lado de la Ciudad Deportiva del Real Madrid. Celia me da dos besos y se mete en el asiento de atrás.

—Pero, Celia, ¿no has visto lo que se ha hecho Carlos en el pelo?

—Ay, pues es verdad que se lo ha cortado. Ya me había dado yo cuenta de que había algo raro con su cara hoy.

—Joder, Celia, eres la hostia. Mira que no darte cuenta de que el Carlos se ha cortado el pelo...

—Al menos ahora se le ve la cara.

—Miguel, deja de mirarme y arranca ya, que no vamos a llegar.

—Es que estás de lo más raro.

—Vale, Miguel, vale ya.

Castellana, Avenida de América, María de Molina, Francisco Silvela. El Kronen.

—Hace cantidad de tiempo que no venimos al Kronen, ¿eh, Celia? —dice Miguel.

—Entrad ya, joder. Mirad, ahí están Manolo y Fierro.

—El Fierro está tan amariconado como siempre.

—Qué pasa, Manolo. Qué pasa, Fierro.

—¡Anda! ¿Pero qué te han hecho, Carlos? ¡Qué rape te han dado, colega!

—Ya te digo.

—Pero, tronco, pareces un eskín.

—Ya ves.

—Qué pasa, Carlos. ¿Vais a venir a mi fiesta, mañana?

—Eso depende. A ver, Fierro: ¿qué nos vas a ofrecer?

—Es una sorpresa, ya veréis mañana. Tú no les digas nada, Manolo.

—¿Te vas a poner en tangas de cuero y nos vas a dar látigos? ¿No es eso, Fierro?

—Sí, y os gritaré: ¡castigadme!, ¡castigadme!

—No pongas esa voz irónica porque todos sabemos que te encantaría.

—Sí, Carlos. No hago más que soñar con ello todas las noches. Bueno, yo me tengo que ir, eh. Vosotros también venís, ¿no, Miguel?

—No sé. Todavía no lo hemos decidido.

—Venga, tíos. Le llamáis a Roberto y él os dice cómo llegar a mi casa. Como a las diez, ¿vale? Y no os preocupéis por el alcohol ni por nada. Bueno. Yo me tengo que ir ya. ¡Joder, Carlos, no me toques el culo!

—¿Te gusta, eh?

—Déjame en paz. Hala. Hasta mañana.

—Hasta mañana, Fierro.

—Hasta mañana, Manolo, y gracias por todo.

—Hasta mañana, Fierro. Un beso.

—Muérete, Carlos.

—Me muero por ti, Fierro.

—Carlos. Déjale un poco en paz, anda.

—Pero si le encanta, Miguel. Es un masoca.

—¿Y qué, si es masoca? Déjale que sea como quiera...

—Ése, el rapado, que se dé la vuelta. Ah, qué pasa, Miguel. No te había reconocido. Cuánto tiempo, ¿no, tronco?

—Sí, ya ves. Mira, Manolo, te presento a Celia, no sé si la conocías. Es mi novia.

—Sí, creo que sí que ha estado alguna vez por aquí. Esperad que me seque las manos... Aquí estamos.

—Bueno, Manolo, ¿cuál es la sorpresa de la que hablaba el Fierro?

—No te lo puedo decir, porque se lo he prometido, pero va a estar muy bien. Ya veréis.

—Ya, ya te veo los ojos. Parece que las cosas se han arreglado desde la última vez que te vi.

—Ya te digo. Hoy estoy que no paro, tronco.

—Pero tú aguanta hasta mañana, que va a haber tela, ya verás.

—¿No hay que contribuir pelas?

—Eso, háblalo con el Fierro, que es el que ha pagado todo. Mañana puede ser muy fuerte, tronco.

—Pues vamos a ser los de siempre.

—Eso es lo de menos. Mejor. Yo traigo a la Joli y ésa os va a calentar la vista a todos. Bueno, basta de charlas, ¿qué queréis?

—A mí me pones un güisqui... No. Mejor nos pones un mini y unas bravas, ¿eh, Miguel?

—Sí. Yo tengo hambre.

—Bueno, pues pon un litro y unas bravas. Y otra cosa: Miguel quería hablar contigo un momento...

—¿Para qué?

—Para ver si podías pillar algo de coca.

—Es directo el chaval, ¿eh? ¿Cuánto quieres pillar?

—Tres gramos.

—Tú pásate mañana por la mañana por aquí, tronco, y ya te diré lo que hay.

—Nosotros nos vamos a sentar ahí, eh, Manolo.

—Hey, espera una cosa. Mañana, ¿a qué hora vais a ir a la fiesta?

—Yo pensaba ir como a las diez con Roberto.

—Yo es que no tengo buga, o sea que pensad en mí, tronco.

—¿Vas a estar libre mañana?

—Sí. He liado otra vez a mi primo.

—Pues no te preocupes, que quedaremos aquí.

—Seguramente somos dos, tenedlo en cuenta.

—Ya. Parece que mañana vamos a ser todo parejitas.

—Mejor. Así montamos la orgía, tronco.

—Bueno. Me voy a sentar allí con Miguel y su novia.

—Oye, dile al Miguel que lo de mañana no es seguro. Haré lo que pueda pero ya sabes...

—Yo siempre confío en ti, Manolo. Hala, hasta ahora.

—Manolo está puesto, ¿verdad?

—¿No le ves cómo no para de hablar y cómo lleva los ojos?

—Otro, como el Raro, que va a acabar mal.

—Bah, como dice Raro: las drogas matan lentamente, pero no hay ninguna prisa.

—Joder, Carlos, cada vez que te miro... Lo siento, pero todavía no me he acostumbrado a verte con el pelo corto. ¿Eh, Celia?

—Pero qué pesadito eres, Miguel. Se ha cortado el pelo y ya está. Sigue siendo el mismo.

—Si es que mírale. Con esas pintas que lleva parece un puto inglés...

—Miguel. Ya vale.

—Coño, no te pongas así. Más vale ser inglés que moro o negro, porque si no ahora estarías pasando caballo en la Gran Vía o ahogándote en el Estrecho de Gibraltar. Yo es que no los comprendo. Con todo el jachís que tienen allí, ¿para qué coño quieren venirse aquí, que no hacemos más que pasarlas putas para poder continuar fumando?

—Eso es verdad. Si las cosas siguen así, vamos a tener que dejar de fumar.

—Si es que esto es Europa: el cinturón de seguridad, prohibido fumar porros, prohibido sacar litros a la calle... Al final, ya veréis, vamos a acabar bebiendo horchata pasteurizada y comiendo jamón serrano cocido. Yo es que alucino. Encima, todos los españoles contentísimos con ser europeos, encantados con que la Seat, la única marca de coches española, la compre Volksvaguen, encantados con que los ganaderos tengan que matar vacas para que no den más leche... Así estamos todos con los socialistas: bajándonos los pantalones para que nos den bien por el culo los europeos, uno detrás del otro...

—Venga, Miguel. No des la charla política hoy.

—Claro, no des la charla, Miguel, no des la charla, Miguel. Tú estás en tu chaletito de la Moraleja, con tu piscinita y tu esclava, la tailandesa ésa, pero yo estoy como un cerdo currando, intentando vender seguros de mierda, y, ¿qué pasa? Que como todo va mal ahora, como no hay dinero, lo último que quiere la gente es gastarse las pelas en seguros, y yo me jodo mientras todo el dinero, ¿para dónde va? Para Europa, que está comprando el país. Y a mí eso no me gusta. Yo paso de ser europeo y paso de tener que hablar en inglés y beber horchata pasteurizada. Me niego.

—Habla menos y bebe más, Miguel, que se va a

quedar calentorra la horchata. Perdón: la cerveza...

—No te rías, Celia. Si es que todo está muy mal. Mucha Expo y mucha olimpiada pero en Madrid no hay dinero.

—No, si me río de Carlos. Ya lo sabes que a mí no me hace nada de gracia, ahora que estoy intentando buscar trabajo. Es que es un círculo vicioso. Para encontrar trabajo, te piden experiencia profesional y, como no la tienes, no puedes conseguir el trabajo y no puedes adquirir la experiencia. Y así no sales nunca.

—Si me seguís agobiando con historias de trabajo, me abro.

—¿De qué quieres que hablemos? A ver.

—De sexo, de drogas y de rocanrol.

—Vale. Te voy a hablar de sexo, de drogas y de rocanrol. De sexo: resulta que tengo una novia buenísima y cachondísima, que me pone a cien y con quien me encanta follar, pero no puedo hacerlo cuando quiero porque resulta que ella vive en su casa con sus viejos y yo, con los míos, lo cual podría solucionarse si tuviera un buen trabajo. Pero de esto, claro, no se puede hablar con el señor Carlos. Hablemos ahora de drogas: me encantan, me encanta estar colocado, pero resulta que para eso tengo que tener dinero, y mi dinero no se lo pido a papá, como el señor Carlos, sino que tengo que ganármelo en el trabajo. Pero de esto tampoco se puede hablar. Hablemos ahora de rocanrol: me vuelve loco, es cojonudo, y ahora necesito comprarme un amplificador bueno, pero para ello necesito dinero, y el dinero no crece en los árboles...

—Vale, vale, Miguel, que ya agobias.

—Miguel, que vais a acabar mal.

—No, no vamos a acabar mal. Yo sólo digo las cosas tal y como las siento, y punto.

—Qué coñazo, Dios. Anda, Manolo, ponnos otra jarra.

—Miguel, no te olvides de que tienes que acercarme pronto a casa.

—No, que no me olvido, no te preocupes.

—Vamos a cambiar de tema: ¿os quedáis mañana o no?

—Sí, ¿no, Celia? Creo que nos quedaremos a ver si Manolo puede pillarnos esto, y el sábado subiremos a la sierra.

—Así, además no le hacéis un feo a Fierro, que es su cumpleaños. ¿Queréis algo más de comer?

—Yo sí tengo hambre.

—Yo estoy a régimen, pero comed vosotros.

—Celia, ¿te hacen unas patatas ali-oli?

XIV

Por la mañana me he quedado en la cama escuchando música.

Ahora la filipina entra por la puerta y dice algo. Bajo el volumen del huolkman y pregunto:

—¿Quién?

—Noria, teléfono.

—Dile que no estoy. No, mejor que estoy todavía en la cama. No, dile que he salido.

—Digo has salido.

—Eso.

La fili sale y yo toso un poco.

Estoy contento porque mañana me voy de vacaciones.

A las dos estoy todavía en la cama, pero hago un esfuerzo por levantarme porque al viejo siempre le jode encontrarme en la cama a estas horas.

En el salón, desayuno, y luego voy al baño a cagar.

Mientras me ducho, oigo cómo la fili hace mi habitación. Al salir en bata, sonrío y le digo que hoy tiene un polvo. Tina se ríe.

—¿Sabes a qué hora va a venir mi padre?

—A las tris.

Mi hermano está como siempre jugando al Nintendo en el salón.

—Hala, cómo te has cortado el pelo —dice.

Juego con él durante una media hora hasta que la fili grita:

—¡Carlos!, ¡Quique! ¡Comer!

Subimos al comedor, donde mi padre está ya sentado a la mesa, viendo el telediario. El viejo me mira de una manera un poco rara y dice:

—Te sienta mejor el pelo así. A ver si se te ventilan las ideas.

Durante la comida, le cuento chistes al enano y nos reímos hasta que el viejo dice que nos callemos, que no puede oír el telediario.

—Qué poco humor que tienes, papá. Sonríe un poco.

El viejo levanta la vista, todo serio, y dice:

—Tú, claro, estás contento porque mañana te vas.

—¿Carlos se va mañana? ¿A dónde?

—A Santander.

—¿Yo puedo ir también?

—No, tú no, que tienes que estudiar para septiembre, que te han quedado el Área y la Lengua.

El enano deja de sonreír.

—¿Cuánto tiempo piensas quedarte? —pregunta mi padre.

—Hasta que vengáis vosotros en agosto.

Suena el teléfono.

—Tina, espera, no lo cojas. Es para mí —dice el viejo.

Se pone al teléfono mientras yo veo la tele. Cuando cuelga, el enano se levanta y dice que va a casa de Nacho.

—Pero no te olvides de volver pronto, que esta tarde te quiero ver estudiando.

Quedamos el viejo, yo y el telediario.

—El viernes que viene va a ser el funeral del abuelo. ¿Seguro que todavía quieres irte mañana? ¿No sería mejor que te fueras después del funeral en vez de darte la paliza de ir y volver el viernes? Así, además, no le metes tantos kilómetros al coche. Ah, por cierto, no te olvides de revisarle todo bien mañana por la mañana.

—Sí, papá.

El viejo sale de la habitación y yo me quedo solo viendo la tele. Las noticias han terminado y la fili está recogiendo la mesa.

Suena el teléfono.

Oye, ¿Carlos?... Sí... Que soy Miguel. ¿Que a qué hora quedamos esta tarde para lo del Fierro?... Quedamos a partir de las nueve en el Kronen. ¿Te parece?... Venga. A partir de las nueve en el Kronen. Hala, hasta luego... ¿Has hablado con Manolo?... Sí, no ha habido ningún problema para eso... Pues nada. Hasta esta tarde... Hasta esta tarde, Carlos.

Llamo a Roberto.

¿Está Roberto, por favor?... Sí. ¿Eres Carlos? Ahora se pone, eh. Espera, que está saliendo del baño... Oye, Ana... ¿Qué?... Nada, que tienes una voz muy bonita... ¿Qué coño le has contado a mi hermana para que se esté descojonando?... Cosas suyas y mías... Bueno, ¿qué pasa? ¿Le has comprado ya el regalo a Fierro?... Sí, un vibrador verde, ya te lo he dicho... Anda ya. Eso lo tengo que ver primero... Ya verás. ¿Tú qué le has comprado?... Yo, un disco de Gansanrousis... ¿Qué otro disco le puede gustar?... Pero, ¿no le has comprado un vibrador?... Sí, pero además... Pues yo qué sé. Cómprale Leni Kravitz, Huitni Jiuston y estas cosas. Ya sabes, lo más comercial. Eso no falla: le encanta... Ya veré. ¿Estás mejor?... Ya te digo. Esta noche, la casa de Fierro arde. Lo que me jode un poco es que vais a venir todos en plan parejitas: el Pedro con su novia, Miguel con Celia, el Manolo con la yanqui. Tú, te traerás la tuya, supongo... Sí, ahora la voy a llamar... Es un coñazo. Tengo a todos los colegas ennoviados... Venga, para el rollo y dime a qué hora quedamos... A mí me da igual... Yo he quedado con Miguel a partir de las nueve en el Kronen... Bueno, pues a partir de las nueve, pero no mucho más tarde, ¿eh?... Hala, hasta luego, Roberto... Hasta los huevos.

Ahora llamo a Amalia.

¿Sí?... Hola. ¿Está Amalia, por favor?... Pues ha salido un momentito. ¿Quién eres?... Soy Carlos... Pues mira, Carlos, ha ido a casa de una vecina pero no debe de tardar mucho en volver. Si quieres le digo que te llame cuando llegue. ¿Sabe tu teléfono?... Sí, pero no se moleste. La llamaré más tarde... Le diré que has llamado... Muchas gracias. Hasta luego... Hasta luego, Carlos.

Cuelgo.

—Quique. ¿Quieres venir a Continente?

—¿Para qué?

—A ver discos. Le voy a comprar un disco a un amigo.

—Ay, sí, que quiero comprarme el primer disco de Nirvana. Espera, que cojo dinero y subo.

Continente.

Aparcamos cerca de la entrada.

Entramos en el supermercado y vamos a la sección de discos. No quiero perder mucho tiempo, así que localizo en seguida el último disco de Simpli Red y le digo a mi hermano que se dé prisa. El enano pilla un disco negro que se titula Blich y que dice que es muy bueno. Pagamos. La cajera, una cerda muy peluda, sonríe y nos da una bolsa de plástico con los discos. A la salida, el de seguridad nos retiene un momento: ¿me podéis enseñar lo que lleváis ahí? Mira la etiqueta, la perfora. Muchas gracias. Por allí, por favor.

Salimos.

Diez minutos más tarde, estamos en casa.

Llamo a Amalia otra vez.

Hola. ¿Está Amalia, por favor?... Sí, soy yo. ¿Qué quieres?... Qué tal, Amalia. ¿Quedamos esta tarde para la fiesta que te dije ayer?... Yo no creo que vaya, Carlos... No me dejes colgado, Amalia... Lo siento, pero no tengo muchas ganas y últimamente no estoy de humor... Amalia, que va a haber coca... Que no, Carlos, que no me siento bien... Venga, que yo te recojo y también te llevo a tu casa. Te hago de chófer... No, Carlos. Te he dicho que no tengo ganas de salir hoy... Pero si es viernes. Además, me voy a Santander mañana. Es mi última noche en Madrid... Pues muy bien, Carlos. Envíame una postal... ¿Tú no vas a Santander este año?... No, no creo. Ya te he dicho que estoy preparando unas oposiciones... Coño, Amalia. Si no vienes hoy, que es mi última noche, te juro que no te vuelvo a llamar... Tú haz lo que quieras. Yo no me voy a meter en tu vida, ¿recuerdas?... Te lo advierto, Amalia... Que no, Carlos. Haciendo chantaje, no me vas a convencer. Ya tuve bastante con... Eres una puta, joder. No puedes hacerme esto... Ya ves si puedo... Te lo advierto... Que no, Carlos, que no me apetece salir y ya está... Mira, Amalia, sabes lo que te digo: que eres una zorra.

Cuelgo. Espero un momento a ver si la cerda vuelve a llamar pero no lo hace.

Son las cuatro y veinte.

Para relajarme, veo Jenri durante una hora. A las cinco y media me voy a la cama y me hago una paja imaginando que le doy de hostias a Amalia.

Duermo hasta las siete y, cuando me despierto, me siento mucho más relajado.

Mientras me visto, oigo a mi madre entrar en casa.

La vieja saluda a la filipina y se mete en su cuarto, dejando caer unos libros sobre la cama. Luego, en-

211

tra en el baño. La oigo mear. Cuando termina, viene a mi habitación.

—¿Pero qué te has hecho, hijo? ¿Por qué no puedes ir con el pelo normalito como todo el mundo? —exclama.

—Mamá. Déjame en paz, anda.

—Bueno, ¿al final te vas mañana?

—Sí.

—¿Habrás hecho las maletas, al menos?

—No. Las haré por la mañana.

—Ay, hijo. Qué desastre eres. No puedes ser tan dejado. Te las voy a hacer yo.

—Déjalas, mamá, que ya las haré yo.

—Tú, vete, que yo te arreglo las cosas en un momento. No bebas mucho y conduce con cuidado.

—Sí. Bueno, me voy, que llego tarde. Hasta luego.

A las nueve menos cuarto estoy en el Kronen. He llegado un poco pronto y no hay nadie todavía. Le digo a Manolo que me ponga una caña. Su primo se acerca y me apunta con el dedo a la cabeza:

—Qué rape, colega, qué rape —dice.

Manolo no parece muy contento.

—¿Qué te pasa? —pregunto.

—Estoy muy jodido, tronco, con la yanqui ésta. Menuda sorpresa que me tenía preparada. Vamos, que esta mañana, se me ocurre pasar a verla donde trabaja, colega, en una escuela de críos, y me la encuentro de la mano con un tío. Un francés, que no hablaba nada de español el hijoputa, tronco. Y la Joli que, todo sonriente, me presenta a su novio, con el que se va a ir a vivir a París el año que viene. No veas qué chasco. Y yo, manteniendo el tipo, con una caja de bombones bajo el brazo, tronco. Me los he comido todos, pero todos, no te creas, hasta que he rabado. No te rías, tronco, que no tiene ninguna gracia. La muy puta... ¡Que sí, hostias!, ¡no gritéis que no os pongo ni una puta caña, eh!... Hoy, ya te digo, va a terminar mal alguien.

—Si esto te consuela, mi cerda tampoco viene. Ya somos dos.

—Te juro que le hubiera metido un cabezazo al gabacho ahí mismo. Y la Joli, sonriendo y diciendo: ¿son para mí esos bombones?, qué simpático... No te rías, tronco. Yo que la digo que no, que son para mi madre, que está en el hospital. No te cuento nada más...

—Esas cosas le pasan a todo el mundo, Manolo. Son todas iguales, agujeros que huelen mal. Olvídala y ya está.

—Con esta movida, esta noche tengo unas ganas de desparramar que no te cuento, tronco.

—¿El Paco ya está mejor?

—Le operaron antes de ayer y está recuperándose.

—¿Y te ha dejado a ti de jefe?

—Sí. Me ha dicho que me traiga durante estos días a mi primo, el Álex, para que me ayude...

—¿Decíais algo de mí?

—Tú, calla, y vete a ver qué quiere el melenas de la esquina.

—Lo que usted ordene, buana.

—Ya te digo. Gracias a esto me puedo escabullir hoy. El Álex las va a pasar putas pero estas horas las va a cobrar doble... Mira, por ahí entra Robertón.

—Coño. ¿Pero qué te has hecho con el pelo?

—¿Tú que crees, Roberto?

—Ahora hasta se te ve la cara y todo.

—Qué pasa, Roberto. Venga acá esa mano.

—Qué pasa, Manolo.

—Que te cuente el Carlos todos mis males, tronco, que estoy muy jodido.

—¿Qué le ha pasado a éste?

—Nada, que se ha encontrado con que la cerda americana tenía otra polla...

—Un guiri, un gabacho, que ha venido a verla y la muy puta se va la semana que viene a París a vivir con él. No te digo el marrón que me he comido con el regalito que le llevaba, tronco. Una caja de bombones de cuatro talegos, no creas... De esos rojos, de Neslé. Tú no te rías, Carlos, que me mosqueo.

—No me río de ti, Manolo. Me río de la situación. Confiesa que es graciosa.

—¿Y tu amiga, Carlos?

—Tampoco viene. Ha pasado de mí.

—Siento deciros que me alegro, pero es así. Yo pensaba que ibais a estar todos en parejitas...

—Mira, ahí llega el Miguel, y sin su novia. Yo me descojono.

—Desde luego, viene con cara de mala hostia.

—¿Qué tal, Miguel? ¿Qué pasa?

—A mí nada. ¿Qué os pasa a vosotros, que estáis todos descojonados?

—Estábamos contando chistes. Pero di: ¿dónde está tu novia?

—La han castigado, me cago en la puta. Porque llegamos ayer un pelín tarde, ni diez minutos, vamos, pues coge su padre y la castiga, joder. Pero no os descojonéis. Estoy hasta el culo. Que la niña tiene veinte años, joder, que ya no es una cría. Os juro que un día la voy a raptar y ese día sí que no vuelve a su casa. O le doy dos hostias a su padre. No lo hago porque es militar y me pega un tiro pero, desde luego, esto es la hostia. Eso: ji, ji, ji, ja, ja, ja, reíros todos que ya veréis, como me mosquee y empiece a repartir, qué gracioso va a ser.

—No te mosquees, Miguel. A Manolo y a mí también nos han dejado plantados.

—Hey, mirad. Ahí viene Pedro con Silvia. Al menos una que no falla.

—Pero son demasiadas pollas para un solo agujero.

—Que las pibas no lo son todo, Manolo.

—Las pibas igual no son todo, Roberto, pero cuando las ganas de meter aprietan... Me callo, tronco, porque viene la novia del Pedro y no la quiero asustar. Qué pasa, Pedro... Esperadme, que me voy a cambiar y ahora estoy aquí.

—Qué tal, Pedro. ( ) Qué tal, Silvia. Siempre me olvido de que tú sólo das un beso. ( ) Bueno. ¿Cómo nos organizamos para ir a casa del Pedro? Del Fierro quiero decir. Que sí, que me entendéis todos, joder. Vamos a ver: ¿quién sabe ir? Tú, Roberto. Y Pedro. Pues yo qué sé. Tomamos dos coches y vamos yo y Miguel contigo, Roberto, y Manolo que vaya con Pedro y con Silvia, ¿os parece? Venga, vámonos. ( ) Joder, Pedro, que no merece la pena que te tomes una copa aquí si en casa de Fierro vas a tener todo el güisqui que quieras. Vamos, eso espero. ( ) Venga, que aquí llega Manolo. ( ) Qué guapo estás, mucha-cho. Hasta estrenas camisa con cocodrilo, qué ni-vel... ( ) Que nos vamos a ir ya, Manolo. Tú vas con Pedro y con su novia. ( ) Venga, joder, que si no, no nos movemos. Álex, ¿qué te debemos? ( ) No, que pago yo. Cobra de aquí y el resto para bote. ( ) ¿Dón-de está tu coche, Roberto?... ( ) Que no, Roberto. Tranquilo, que estoy bromeando. ¿Sabes, Miguel, que el otro día el Roberto se hizo un suicida? ( ) ¿Cómo que para qué? Vivir sólo se vive cuando se siente, y te juro que fue como un subidón de coca. ( ) Bah. Estáis locos, estáis locos. Siempre lo mismo. Parecéis un disco rayado todos. Dime alguien que no esté loco. Todo el mundo está loco. Por eso no nos comprendemos nunca. Estamos todos locos... ( ) Sube esta canción, Roberto, que es cojonuda. ( ) ¿Qué le has comprado al Fierro, Miguel? ( ) Te juro que estuve a punto de comprarle el mismo. Yo le he comprado el de Simpli Red, pero en compact. ( ) No, al final no tuve tiempo para comprarle el vibrador. Una pena. Estoy seguro de que le hubiera encanta-do. ( ) Oye, ¿está muy lejos todavía la casa de Fierro? Esto está en el culo del mundo. ( ) Hey, ¿no pensáis que es una pena que Pedro se haya traído a su novia? Como está con ella, seguro que estará de lo más formal. ( ) Por cierto, ¿cuál es la sorpresa que el Fierro nos ha preparado? Tú lo sabes, Roberto, y eres un cabrón por no decírnosla. ¿Qué es? ( ) Has visto, Miguel, qué confianza nos tiene. ( ) Claro que sí, si es que es verdad. Esto es un complot del Fierro, que sólo quiere tener pollas para que le demos todos por el culo. Por cierto, ¿Fierro no tiene novio? ( ) Ah sí, es verdad que se dejó hacer una mamada por una puta con vosotros en un coche, ¿no, Roberto? Pero eso no quiere decir nada. A mí no me molestaría que me hiciera una mamada un tío y no soy maricón. ¿Estáis seguros de que no os la mamó él a vosotros? ( ) Vale, vale. Ya paro. Joder, Roberto, no tienes ningún sentido del humor. ( ) ¿Ya es aquí? ( ) Menos mal, porque pensaba que no llegábamos nunca. ( ) Hey, esperad. Vamos a hacernos un porrito antes de entrar. ( ) Bueno, vale, tienes razón. Nos lo hacemos dentro. ( ) ¿Te cierro la puerta, Roberto? Ah, lleva cintas, porque si el Fierro nos pone su música, la fiesta puede ser una mierda. Oye, es un chaletito bastante majo el que tiene Fierro. Con piscina y todo. Guay, así acabaremos bañándonos. ( ) Allí están Pedro y Manolo. ( ) Ven para acá, cocodrilo. Dime: ¿habrá algo de coca, espero? ( ) Pero qué manía con las sorpresitas y esperad, esperad. Llamad al timbre, anda. ( ) Hala, Fierro, ¿qué tal? Feliz cumpleaños, muchacho. Venga, todos juntos. Pero no os acojonéis, joder. Cumpleaños feliz, cumpleaños feliz, te deseamos todos... ( ) Se está poniendo rojo. Seguid, que va a estallar. ( )...todos, CUMPLEAÑOS FELIZ. ( ) No te pongas rojo, Fierro, que sólo las mujeres enrojecen. Hala, dame dos besitos a mí también. Así, así. Pero no seas tímido. Toma tu regalo. Espero que te guste, y si no, te jodes. ( ) Vamos todos para dentro. ( ) ¿Por dónde? ¿Por aquí? ( ) ¿Qué pasa, Fierro? ¿Nos destierras al sótano? ¿No tenemos la suficiente categoría para ser invitados de salón? ( ) Espero que no estén tus padres porque si no, igual hay que darles de hostias y amordazarles. ¿Ellos son como tú, Fierro? ( ) ¡Joder!, ¡joder! ¡joder! ¡Qué de puta madre! ¿Has visto eso, Roberto? ¿Pero has visto esa bandeja? Ahí hay por lo menos diez gramos. Pero, ¡qué lujos! ¿Y ese barril? ( ) ¿A mí qué me importa cómo se llame, barril, barreño, o lo que sea? ¿Qué tiene? ¿Sangría? ( ) ¿Pero tú quién te crees que soy yo? Yo paso de beber sangría guarra, yo sólo güisqui... ( ) Ah, ah, ah. Eso es muy diferente. ¿Conque ésa era la sorpresa? En ese caso, vamos a comenzar por la sangría, ¿eh, Roberto? ( ) ¿Qué clase de tripis son? ( ) ¡De puta madre! ( ) Oye, Manolo, ven. Eres un tío de puta madre. Te juro que esto no me lo esperaba. La americana ésa, que la den por el culo. ( ) Si te pones cachondo pues coges y le das por el culo a Fierro. Y ya está. ¿Verdad, Fierro, que a ti te encantaría que te sodomizasen hoy? Seguro que le gustaría que le follases con el puño. ( ) Ves. Se ríe. Eso significa que le encanta. Ah, y un secreto: si le fustigas con un látigo y le atas a la cama, se corre en seguida. ( ) Manolo, coño, que sólo estoy bromeando. Otro igual. No pongas mala cara, anda. Échame otro vaso de ésos, Fierro, guapísimo, y échale más a Roberto, que está muy sobrio todavía. ¿Eh, Fitipaldi? Bebe más. ( ) Hey, tú, Miguel. Tú estarás contento, ¿no? Una putada que no esté tu novia, pero ya lo sabes: ahí tienes al Fierro, en caso de necesidad. ( ) Vale, vale. No te pongas pesadito, no te pongas pesadito, hala. Qué poco sentido del humor tenéis todos, joder. ¿Dónde están los güisquis? ( ) Ah, ya los veo. Allí, encima de la mesa. Cojonudo. Jotabé. ¿Cuántos somos? Bah, todo queda en familia. ( ) Venga, Roberto. Vamos a comenzar a esnifar. Mira al cabrón de Manolo y cómo ya está dándole. Venga, coño, tensa un billete. ¿Te pongo un güiscola? ( ) Estamos acabados, Roberto. Mezclando sangría con güisqui. ¡Qué guarrada! ( ) Déjame a mí, que me toca. ( ) Eso es. Está rica, Manolo. Ya empiezo a notar el saborcillo de la coca que baja por la garganta. ¿A cuántas rayas toca por persona? ( ) Joder, qué subidón que me está pegando. Fierro, quita esa música de mierda. ¿Dedé no tienes, no? Ninguno entendéis nada de música. ( ) Venga, Roberto. Da un golpe de estado: ¡abajo Huitni Jiuston y viva Fugazi! ( ) ¡Caña! ¡Caña! ¿Qué pasa, Fierro? ¿No quieres bailar conmigo? ¿No quieres apretarte contra mí y sentir mi miembro en erección? ( ) Venga, Roberto, Manolo. Venid aquí, que vamos a marcarnos unos pogos. Eso es: botad, botad, malditos. ( ) Tranquilo, Fierro, que tampoco es necesario apartar la mesa. ( ) Ya me he cansado. Hey, para, Roberto. Te juro que, de dar botes, se me ha puesto el corazón a cien. Creo que ya está empezando a hacer efecto el tripi. ¿No ves allí los globitos y las serpentinas? ¡Qué colores! Lo mejor del tripi son los colores, pero hay que mojarlo todavía más. Vamos a darle otro trago a la sangría y vamos a meterle mano a esas botellas de güisqui. ( ) ¿Ves? Ya está el Pedro ahí sentado en una esquina en plan antisocial, con su cerda... ( ) Huy, joder. Qué susto me ha dado el globo al explotar. ( ) Qué empalme está cogiendo el Manolo, ahí bailando como un loco. Mírale, dando vueltas con los brazos abiertos. Ésos fueron mis primeros ciegos, cuando era pequeño. Daba vueltas y vueltas hasta que me mareaba y caía. Durante un momento, todo seguía dando vueltas. Una vez hasta me desmayé. ¿Lo hacemos, Roberto? ¿Qué te pasa? ¿Ya estás puesto? No te pongas a reír así, que me contagias la risa. Espera. Venga, Fierro, danos dos vasos más de sangría. ( ) Lo siento, no puedo parar. Es que nos ha dado un ataque de risa. ( ) Tú ¿qué pasa?, ¿no bebes? No me parece bien, ¿eh, Fierro? ( ) Joder. Bebe al menos un vaso de sangría. ( ) Huy, perdona, Fierro. No quería tirarte el vaso encima, te lo juro. ( ) Lo siento. Creo que es el tripi, pero no puedo dejar de reír. ( ) Mira qué careto nos pone Fierro, Roberto. ( ) Venga, Roberto. Vamos a hacer como el Manolo. Así, así. Extiende los brazos y vamos a dar vueltas. ( ) Así, así. Es divertido, ¿eh? Sigue. Sigue hasta que no puedas más. ( ) Sigue, sigue. ( ) Joder, joder, joder, ¡que me caigo! Perdona, Miguel. ¡Joder, todo da vueltas! No tenías que haberme cogido, Miguel. Quería caerme. Déjame, que tú estás tan puesto como yo y, además, quítate esas gafas, que te quedan muy mal... ( ) ¡Hostias! Cuidado con Roberto, que se ha caído al suelo. ( ) ¿Estás bien, Roberto? ( ) Deja de reírte, coño, que se te va a desencajar la mandíbula. Te juro que a mí me pasó eso una vez. Estaba con un amigo de excursión y... Sí, ríete, ríete. Nos comimos un tripi a medias, todavía me acuerdo, y se me desencajó la mandíbula de tanto reír. Te lo juro. ( ) Pues fue el mejor tripi de mi vida. ( ) Oye. ¿Desde cuándo lleva gafas Miguel? ( ) Dale un trago al güisqui, Roberto, y vamos a darle un poco más a la coca, que ya está el Manolo allí, como un viciado, pegando las napias a la bandeja. ( ) ¿Te has fijado en Pedro, cómo se está calentando con su cerda? ( ) Pero, tío, mirad eso. Manolo, mira. Roberto, mira. Si es que le está quitando la camisa. Pero que la cerda se está poniendo a cien. ¡Joder! Aquí vamos a ver polvo, ya veréis. ( ) ¿Qué, Fierro? ¿Una fiesta en familia, como lo querías, eh? ( ) Roberto, mira ahora al Miguel, que está subiendo y bajando las escaleras a toda hostia, qué marcha lleva. ( ) Venga, Manolo, deja de reírte y vamos a unirnos a la marcha de Miguel. ( ) Vamos, vamos. Arriba y abajo, arriba y abajo... ( ) Para. Para y mira a esos dos. El Pedro le está quitando ya el sujetador. ( ) Parad un momento, joder. Bah. Con vosotros no se puede hablar. Voy a hablar con Roberto, que está más tranquilito. ( ) ¿Has visto eso, Roberto? ( ) Escucha, Fierro. Déjame en paz, que yo grito si quiero. ( ) Me cago en la puta. Y el Miguel y el Manolo todavía subiendo y bajando escaleras. Qué colgados. ( ) ¡Miguel, deja de hacer el Fitipaldi! ( ) ¡Roberto, Roberto! ¡Agárrame, que me ha dado un bajón! ¡Agárrame, por favor! ( ) Uff. Por un momento, se me ha movido todo el suelo, un mal viaje. ( ) ¿Dónde hay algo de comer? Ah, muy bien. Hay pinchos en la mesa... ¿Dónde están Pedro y su cerda? ( ) Han salido al jardín, seguro. ( ) Ven, Roberto, que vamos a ver un polvo en primer plano. Vamos a la puerta del jardín. ( ) Venga, que subimos por aquí. Shshsh, no hagas ruido, joder. Pareces un elefante. ( ) Ya estamos en el jardín. Mira allí, Roberto. Detrás de la piscina, ¿no les ves? Qué ruidosos, los cabrones. ( ) Mira, que está ella encima, cogiéndose del pelo con una mano. Pero qué marcha tiene la muy cerda. Roberto, que se me está poniendo dura. ( ) Seguro que tú también estás empalmado, ¿eh, Roberto? ( ) ¿Cómo? ¿Que no te gustan estas cosas? ( ) A ti, lo que pasa es que te gustan los tíos, ¿no es verdad? ( ) Si no tiene nada de malo, Roberto. No te pongas rojo y venga, déjame tocarte. ( ) Así. Te gusta que te acaricie así, ¿eh? La tienes también dura, cabrón. ( ) Venga, Roberto. No me vengas con bobadas. Somos colegas, ¿no? ( ) Así, así. Desabróchame tú también los pantalones y nos lo hacemos mutuamente. ( ) Eso es, Roberto, eso es. Si te gusta. Si yo lo sé. Mira al Pedro enfrente cómo sigue metiendo como una bestia... ( ) Ah, ah. Espera, no tan bruscamente. ( ) Así, pero cuidado. Tienes que cogerme así. ( ) Sí, así, así. ( ) ¿A ti te gusta así, también? ( ) Eso es, Roberto. ( ) Más rápido, más rápido. ( ) ¡Así! ¡Voy a correrme!, ¡voy a correrme! ¡Córrete conmigo, Roberto! ( ) ¡Me corro!, ¡me corro! ¡Córrete tú tambien, coño! ¡Córrete! ( ) Ah, ah, ah. Ya, para, Roberto. Para, que me haces daño. ( ) Allí todavía siguen. ( ) Súbete los pantalones, que paso de que nos vea nadie. ( ) Que no pasa nada, Roberto. Somos colegas, ¿no? Y no nos ha visto nadie. Eso es todo. ( ) Joder con el Pedro, ¡qué máquina! Ahora la tiene a cuatro patas. ( ) Lo peor es que todavía la tengo dura. ( ) Que no, que paso mucho de besarte en la boca. Eso es de julandrones. Vamos dentro. ( ) Abre la puerta, Roberto. ( ) Miguel ya está potando. Qué acabado. ( ) ¿Qué te pasa, Roberto? Vente. ( ) No te pongas raro, que no ha pasado nada, que somos colegas. ( ) Me cago en la puta. Fierro está completamente sobrio. ( ) Coño. Esto no puede ser, y menos el día de su cumpleaños. ( ) Venga, Roberto. Vamos a solucionarlo. ( ) Estás con nosotros, ¿no, Manolo? ( ) Pues vamos a la cocina a pillar un embudo. ( ) Vamos por allí, por las escaleras. ( ) Nada. No te preocupes, Fierro. Vamos a beber agua en la cocina. Eso es todo. ( ) Vamos, rápido. ¿Encontráis un embudo por algún lado? ( ) Esperad. Seguid buscando, que voy a pillar algo que sirva como cuerda. ( ) ¿Qué coño puede servirnos como cuerda? ( ) Ya está. El cordoncito de los visillos. ( ) Venga, muchachos. ¿Habéis encontrado el embudo? ( ) Pues ya tenemos todo lo que necesitamos. ( ) Vamos abajo. ( ) Ahí está Fierro. ( ) ¿Qué tal, Fierro? ( ) Oye, que es tu cumpleaños y hemos pensado que tienes que pasártelo bien. Vamos a hacer algo que te va a encantar. ( ) Sí, te vamos a atar. Eso es, ríe, ríe. Ja, ja, ja, ja, ja. ( ) ¿Véis cómo se ríe? Venga, sujetadle y traed una silla. ( ) Eso es. Continúa riéndote, Fierro, que te vamos a atar. ( ) Así. Primero las manos, luego los pies y te atamos bien a la sillita para que no te puedas mover. ( ) Olvida a los médicos. Los médicos no saben nada. ( ) Que no seas llorica, joder. Aunque seas diabético, un poco de alcohol no te va a hacer nada. ( ) Venga, Fierro. Para que sea aún más excitante, te vamos a vendar los ojos. ( ) Parece una película, ¿verdad? Es como Nuevesemanasymedia, ¿eh? ( ) Te encanta, ¿a que sí? Mirad el bulto que tiene en el pantalón. Se está empalmando. Pero como un toro, ¿eh, Fierro? ( ) Métele el embudo ahora por la boca, Roberto. ( ) Eso es. Ahora traemos la botella de güisqui y la vertemos dentro del embudo. ( ) Así, muy bien, Fierro. Glu, glu, glu, glu. ( ) Mmmm. Está rico el güisqui, ¿eh? Venga, vamos a acariciarte el paquete. ( ) Roberto, tú continúas con la botella, que yo desabrocho el pantalón para que veamos qué hombre es Fierro. ( ) Así. Muy bien. Glu, glu, glu. Ya llevas media botella, Fierro. Te queda la otra mitad y verás qué bien te lo vas a pasar ahora. ( ) No te rías, Manolo. Glu, glu, glu, glu. ( ) Oh, pero ya no estás excitado, Fierro. Nos has decepcionado. ( ) Le hace falta un poco más de coca. ( ) Trae un poco de coca, Roberto, que yo continúo con la botella. ( ) Eso es. Glu, glu, glu. ( ) Venga, Roberto. ¿Qué te pasa? ( ) Bah. ¿Qué dices? Al Fierro le está encantando esto. ( ) Venga, sujeta tú la botella, que yo voy a por la coca. ( ) ¿Cómo que pasas? Eres un débil, Roberto. Pero si se lo está pasando muy bien, ¿no lo ves? ( ) Anda, sujeta tú la botella, Manolo. ( ) Ves. Un poquito de coca de la bandejita en el pequeño cipotito de Fierro y, op, la resurrección. ( ) Qué pasa, Fierro. ¿Ya no te mueves? ¿Ya te has terminado la botella? Muy bien. ( ) ¿Creéis que debemos darle otra botella? ( ) Oye, que Fierro está muy silencioso. Alégrate, Fierro, que ya está. Venga, vamos todos a cantarle cumpleaños feliz. ( ) CUMPLEAÑOS FELIZ, CUMPLEAÑOS FELIZ, TE DESEAMOS TODOS, CUMPLEAÑOS FELIZ. ( ) Pero, ¿qué haces, Roberto? ¿Para qué le desatas? ( ) Si le encanta, joder. ( ) Miguel, te lo has perdido. Fierro acaba de beberse él solo una botella de güisqui enterita. ( ) Bah. Estáis locos, estáis locos, siempre la misma canción. Qué coñazo sois. ( ) Pero no digas bobadas. ¿Cómo va a estar en coma? Si no era más que güisqui. ( ) Pero no, Miguel. ¿Para qué vas a llamar a una ambulancia? ( ) No está más que un poco borracho, como debe estar. Como lo estamos todos... ( ) ¿Verdad, Fierro, que no estás más que borracho? Fierro, abre los ojos. Despierta... ( ) ¡Pero cómo no va a tener nada de pulso! ¡No digas bobadas, Roberto! ( ) Venga, Fierro, venga. VENGA, DESPIERTA. ¡ABRE LOS OJOS! ( ) Si le encanta que le peguen, y eso lo sabéis todos.

( ) Está sólo durmiendo la borrachera, joder. ( ) ¡VEN-GA, DESPIERTA, FIERRO! ( ) Ni se te ocurra volver a su-jetarme el brazo, ¿eh, Pedro? O vamos a acabar mal. ( ) Lo único que hay que hacer es darle una ducha de agua fría, eso es todo. ( ) Vamos a llevarle al baño. Ah, y guarda el embudo que, si llega la ambulancia, no queremos tener problemas. ( ) Venga, Fierro, eso es, un poco de agua fresquita y te despiertas. Abre los ojos. ( ) ¡ABRE LOS OJOS, MARICÓN DE MIERDA! ¡ÁBRE-LOS! ( ) Vale, vale. Tranquilos. No os pongáis así con-migo, joder. Sólo quería abofetearle un poco para ver si así reaccionaba. ( ) Ya llega la ambulancia y vamos a tener movida. ¿No oís la sirena? ( ) Has sido tú, Miguel, el que la ha llamado, ¿no? Pues ahora te entiendes tú solito con ellos. Yo no quiero saber nada del tema. ( ) Mierda de Fierro. Otro débil. ¿Cómo te atreves a montar todo este cisco por un poco de güisqui? Debería darte vergüenza. ( ) Eres un débil. ¡UN DÉBIL, ¿ME OYES? ¡UNA MIERDA DE HOM-BRE! ¡MERECES QUE TE ESTAMPE LA CABEZA CONTRA EL SUELO Y QUE TE LA PISOTEE HASTA QUE TE MUERAS DE VERDAD! ( ) Vale, vale, tranquilos. Sólo estaba bro-meando, sólo estaba bromeando, joder. ( ) Sois todos unos débiles. ( ) En el fondo, os odio a todos.

Epílogo

Hoy es jueves. Estoy en Santander y ya han llegado mis padres. Lo que más me molesta de esta intrusión es que tengo que levantarme antes de la una y media para que la fili haga la habitación. Esta mañana, a las dos y veinte, mi madre me ha sacado de la cama a manotazos.

Me he levantado de muy mal humor y con dolor de cabeza.

Ahora estoy en el salón desayunando.

El enano está viendo las olimpiadas en la tele; mi hermana está sentada en el sillón jugando con la perra.

Mi padre entra en el salón y dice:

—Bueno, ya estamos aquí, toda la familia junta. Nuria ha llegado de Francia, Carlos no ha quemado la casa y hace buen tiempo. Hala, muchachos, vamos a la playa, que nos espera un día maravilloso.

Yo me voy a la cocina y saco una cerveza de la nevera. Luego me tumbo en el sofá y veo la tele.

—Venga, Nuria. Coge las palas y vámonos a la playa.

—Quique, coge las palas.

—¿Tú vienes con nosotros, Carlos?

—No. Yo me pongo con unos amigos.

La vieja entra ahora, en bañador y dice: ¿nos vamos ya? La gorda deja a la perra, se pone unas zapatillas.

Todos salen por la puerta y ahora cruzarán a pie hasta la playa del Sardinero.

Yo me quedo solo, viendo las pruebas de gimnasia masculina.

Cuando termino la cerveza, me levanto, me pongo las gafas de sol y salgo.

En la playa hay mucha gente —demasiada— porque hace buen tiempo y es agosto.

Julián, Jaime y éstos están jugando al voleibol en las nuevas redes que han instalado. Les pregunto dónde se han puesto. Julián me indica un montón de toallas donde hay una cerda tomando el sol que debe de ser Rocío.

—¡Hey, juega un poco al voli con nosotros! —me grita Julián.

Yo digo que no puedo, que estoy con resaca y que tengo que dormir. Extiendo mi toalla, me quito la camiseta, me tumbo al sol.

Rocío levanta la cabeza y me sonríe, sonrojándose un poco.

—¿Qué tal estás esta mañana? —pregunta.

Viéndola ahora en bañador, no puedo evitar fijarme en su culo gordo y celulítico.

—Sí. Ayer estaba muy borracho. No me acuerdo de nada de lo que pasó.

Rocío deja de sonreír. Yo me quito las gafas y me pongo a dormir.

Estoy cansadísimo.

—Hey, Carlos. Despierta.

—Qué pasa, Julián —le digo a la figura que me habla, mientras me protejo del sol con una mano.

—Qué ciego llevábamos ayer, ¿eh? Ahora me estoy acordando de cuando te pusiste a cantar después del kinito. Qué pedo llevabas.

Busco las gafas de sol y me las pongo. Rocío me está mirando otra vez. Sonríe de nuevo.

—Venga, Carlos. Vente a bañar con nosotros, así se te despeja la cabeza.

Julián tiene razón. Me levanto. Yendo hacia la orilla, Jorge, un primo lejano mío, se acerca. Dice:

—Qué pasa, Carlos. Ayer te enrollaste con Rocío, me han contado —me pone una mano sobre el hombro y va a decirme algo más, pero yo le empujo. Él me suelta.

—Bueno, bueno, joder con el machito.

Hay bandera roja y hay olas.

—Es una pena que no me haya traído la tabla hoy —dice Julián—. Este año es la playa de los Locos la que está de moda. Yo voy a ir por la tarde. ¿Quieres venir?

—No, creo que me echaré una siesta.

—Bah. Te pasas el día durmiendo. Estás desperdiciando la vida.

Julián se mete corriendo en el agua. Yo entro poco a poco porque está muy fría.

Cuando salimos, nos fumamos unos porros y comento la putada que es que hayan llegado los viejos.

—Bah. Me tengo que levantar a la una, comer con ellos... Es un coñazo. No me apetece nada pasar hoy por casa. ¿Te apetece comer algo? Podíamos pasar por la pizzería ésa nueva que han puesto cerca de la Plaza del Ayuntamiento, ¿te parece?

—Bueno, pero tengo que pasar por casa para decírselo a mi madre.

—Venga. Y luego cogemos mi coche, que tengo que dejar la rueda a arreglar... Pásame el mechero.

Les decimos a los otros que nos vamos. Rocío me mira insistentemente pero yo la ignoro.

La vieja de Julián le dice que podía haber avisado antes que no comía en casa. Julián se excusa, se calza unas zapatillas. Me dice:

—Vamos.

Un poco después, en mi casa, le digo a la fili que hoy no como y me intento escabullir antes de que los viejos me digan algo.

—¡Carlos! —grita mi madre al oírme. Yo chasqueo la lengua.

—A ver. ¿Dónde vas? ¿Por qué no comes?

—Julián me ha invitado a comer en su casa.

—¿No podías haber ido otro día? ¿No podías haberte quedado hoy, que es el primer día que estamos aquí?

Cuando me voy, me dice: Ah, hay una carta para ti.

—¿De quién?

—De un tal Roberto, desde Marbella. Espera, que te la traigo ahora.

La vieja me da un sobre cerrado.

—¡No tardes mucho!

—¿De quién es la carta? —pregunta Julián en el coche.

—De un pringao.

En la pizzería no hay mucha gente y nos atienden pronto. Pedimos una pizza marinera. Mientras esperamos, yo abro la carta y la leo. Julián me pregunta si pasa algo.

—No. Nada importante. Tonterías.

Comemos.

Julián habla de su novia, de su carrera de económicas en Bilbao y de una beca que le han dado para estudiar el año que viene en Londres.

—Y tú. ¿Qué cuentas este año?

—Bah. Yo, como siempre.

—¿Por qué no intentas conseguir una beca Erasmus para salir al extranjero? Así sales de casa un año.

—¿Para qué? Vas a pillarte las mismas mierdas aquí que en cualquier otro lado. Yo paso. Estoy bien en Madrid y estoy bien en mi casa.

Terminamos de comer.

Al salir de la pizzería, arrugo la carta de Roberto y la tiro dentro de la primera papelera que encuentro.

—Venga, Julián. ¿Tomamos algo antes de volver?

—Entonces, ¿le escribiste una carta?

—Sí, pero seguro que ni la leyó. Carlos odia las cartas. Dice que son anacrónicas y que sólo los sentimentales escriben cartas. No sé por qué se la envié pero es que no podía más...

—¿Por lo de Fierro?

—Sí, eso es. Aquello me impactó mucho, no sé. Todavía no comprendo cómo pudo marcharse. Estábamos todos en el hospital esperando y Fierro se estaba muriendo. Habíamos quedado y, después de esperar dos horas, voy y llamo a su casa...

—Y no estaba.

—Eso es. ¡No estaba! Se había ido a Santander, me lo dijo su hermana.

—Y luego, ¿no vino al funeral?

—No, no vino.

—Entiendo.

—No. Usted no lo entiende. Carlos tiene una manera muy particular de ver las cosas. Si hubiera venido, se hubiera descojonado al ver las caras que poníamos todos. Nos hubiera dicho que éramos unos blandos, unos débiles...

—Sí, Roberto. Todo eso está muy bien, pero tú no debes dejar que siga influenciándote...

—Ya lo sé, ya lo sé, ¿pero es que no lo entiende? Yo le quería, yo...

—Eso es algo que ya está pasado, que tienes que superar, Roberto.

—No sé si puedo. Fue algo, no sé, no sé cómo explicarlo... Estábamos todo el día juntos, yo creía que éramos amigos. No quería romper eso, no quería que me mirase de manera rara, ¿sabe? Eso es lo que he intentado toda mi vida. Por eso nunca les he contado a mis amigos cómo era, ni lo que sentía...

—Pero eso no está bien. Tienes que aprender a aceptarte como eres. A no avergonzarte.

—No. Si no es que me avergüence. Pero usted no les conoce. No me aceptarían. Se pasarían el día riéndose de mí y no sería lo mismo.

—Pero no puedes seguir escondiéndote siempre, encerrándote...

—Eso es lo que hace Carlos. Se encierra, se encierra, nunca dice lo que siente, es como...

—Mira. Vamos a dejar de hablar de Carlos y vamos a hablar de ti.

—¿De mí?

—Sí. De ti.

—Es que todavía no puedo dejar de pensar en él. Sobre todo después de lo que pasó en la fiesta de Fierro.

—¿En la fiesta de Fierro?

—Sí. Salimos al jardín. Íbamos a espiar a Pedro, que estaba con su novia...

—Pedro es otro del grupo, ¿no?

—Sí, pero este año se ha echado novia y no ha venido mucho con nosotros.

—Sigue.

—Pues Carlos y yo estábamos algo puestos. No sé. Le estábamos viendo a Pedro con su novia, nos excitamos y entonces él comenzó a tocarme...

—¿A tocarte?

—Sí, a tocarme, a masturbarme, a hacerme una paja...

—Esto no me lo habías dicho antes, Roberto.

231

—Es que es demasiado personal, ¿comprende?

—Sigue.

—Para mí, el que me quisiera tocar era maravilloso, no podía resistirme. Pensé que al fin se había dado cuenta. Me engañaba. Él nunca me quiso, al menos no como yo le quería. Me di cuenta en cuanto quise besarle y él me dijo que era de julandrones. Sentí tanta vergüenza...

—No tienes que avergonzarte nunca de ti mismo. Los criterios de tu amigo son aplicables a su conducta, pero no a la tuya...

—Ya. Ya lo sé. No sé lo que me pasaba. Estaba fascinado con él. Todo aquel mundo en el que vivía, hablando siempre de psicópatas... Eran sus héroes. Aquella película, Jenriretratodeunasesino, la veía cada dos días y siempre me hablaba de Pat Beitman...

—Tu amigo era un poco obsesivo.

—¿Un poco? Cuando encontraba un disco que le gustaba, se pasaba meses oyéndolo, sin cambiar. Y ni siquiera entero: ponía las dos canciones que le gustaban una y otra vez.

—¿Y después de la fiesta?

—Ya no volví a verle. Se fue a Santander. No podía creérmelo. De verdad. Me quedé blanco cuando me lo dijo su hermana. Fui estúpido, ya lo sé, pero me había hecho ilusiones a pesar de todo.

—¿Ilusiones?

—Sí. Construía pequeñas fantasías con él. Al principio no era más que algo muy abstracto, ¿sabe? Hacía con él lo mismo que con cualquier otro que me gustara. Lo desnudaba en mi mente. Me imaginaba situaciones y conversaciones. Inverosímiles, desde luego, pero es que a fuerza de encerrarme, esas fantasías eran mi única salida, ¿comprende? Eran mi pequeño secreto, un residuo de libertad fuera del opresivo círculo del grupo...

—Quizás si hablaras con tus amigos...

—¡Ellos, qué van a comprender! Usted no los conoce. Con ellos no se habla nunca. Cuando salimos, contamos chistes, decimos tonterías, burradas, hablamos de tías —eso siempre— pero nunca hablamos de nosotros. No sé. Llevamos toda la puta vida juntos, desde el colegio, y es como si no nos conociéramos en absoluto. No nos contamos nunca nada. No comunicamos, ¿comprende? Por eso vengo a verle, para poder contarle a alguien mis movidas.

—Eso siempre es bueno.

—No podía más. Después de que se muriera Fierro, lo pasé fatal. Me levantaba por las noches sudando. Tenía pesadillas en las que veía a los padres de Fierro gritándome: «asesino», «asesino»...

—No tienes que darle más vueltas al tema. Fue un accidente.

—¡No! ¡No fue un accidente! Nosotros le atamos y le forzamos a beber aquella botella. Sabíamos perfectamente que no podía beber, fue por eso. Carlos tuvo la idea. Fue él el que continuó. Incluso cuando intentamos pararle. Pero él estaba como fuera de sí. Y luego, cuando llamamos a la ambulancia, cuando quisimos darle a Fierro una ducha de agua fría, él le golpeó la cabeza contra el lavabo. Si no le paramos, le hubiera destrozado la cabeza. Yo nunca le había visto así. Eran sus ojos: quería matarle, estoy seguro. Y luego se volvió loco, gritando que nos odiaba a todos, que éramos unos débiles, que yo era un maricón de mierda...

—Lo que me estás diciendo es muy serio, Roberto. ¿No crees que deberías contarle esto a la policía?

—¿Para ir a la cárcel?

—Para tener la conciencia tranquila.

—Lo he estado pensando mucho pero...

—Bueno. Sigue.

—Es que tenía que contárselo a alguien. Me quemaba por dentro. Por eso le escribí a Carlos. Me sentía tan mal, tan frágil. Tenía miedo, mucho miedo.

—¿Miedo de qué?

—De todo, no sé. Antes de que pasara lo de Fierro, yo estaba atrapado en el juego de Carlos. Me había ido endureciendo, estaba fascinado con la violencia, con la muerte, con el sufrimiento. Todo eso me ayudaba a sobrellevar mis frustraciones. No sé si me comprende.

—Sí.

—Un día nos subíamos a los andamios. Otro, cogíamos el coche y nos poníamos a correr. Una vez hasta hicimos el suicida.

—¿El suicida?

—Nos metimos en dirección contraria en una calle.

—¿No os denunció nadie?

—No. Era de noche y no fue mucho tiempo. Pero yo lo pasé muy mal, sobre todo porque Carlos no hacía más que llamarme marica y decirme que no tenía cojones. Yo no sé si lo sabía ya. La verdad es que nunca comprendí por qué me besó aquel día en el concierto...

—¿Te besó?

—Sí. Pero tuve que rechazarle. Estaba pedo. Era por hacer la tontería, por transgredir, o quizás para humillarme, no lo sé. La cuestión es que, a partir de ese día, las pequeñas fantasías de las que le he hablado comenzaron a concretarse...

—¿Qué quieres decir?

—Quiero decir que dejaron de ser tan abstractas, que ya tenía una situación real para localizarme y sobre la que elucubrar. A partir de aquel día comencé a construirme un verdadero cuento de hadas. Entré en un estado de excitación continua. Le miraba con ojos diferentes y llegué a engañarme completamente. Si lo pensaba racionalmente, estaba seguro de que él no me quería. Él no quiere a nadie, ¿comprende? Para él, eso es cosa de débiles. Yo creo que nunca se ha enamorado, que no ha tenido una educación sentimental, ¿sabe? Porque él es verdaderamente así. Es muy frío y trata fatal a todas las tías. Bueno, había una por la que se preocupaba más que por las otras, pero yo creo que era porque ella pasaba de él. Una cuestión de orgullo, algo así. No sé si seguirá con ella o no. En todo caso, él no cambiará.

—Él no es lo importante aquí. La persona importante eres tú. Tú, al menos, sí has cambiado, has evolucionado.

—Sí. He descubierto el miedo.

—¿El miedo?

—Era lo que intentaba explicarle. Antes hacía muchas locuras, en especial con el coche. A partir de la muerte de Fierro, comencé a tener miedo...

—Explícate un poco más.

—No sé. Siento la presencia de la muerte en todos lados. Cuando me meto en el coche, tengo que ponerme el cinturón. Soy incapaz de ir a más de ochenta y no hago más que pensar en que, con un simple volantazo... Siento vértigo, pánico. Cuando salgo al balcón, tengo que gritar y agarrarme. La tentación de tirarme es fortísima. Hay una voz interior que me instiga continuamente. Cuando cojo un cuchillo tiemblo: la voz me dice que me lo clave en el ojo. Es algo completamente irracional, ¿comprende?

—¿Piensas mucho en Fierro?

—Sí. Siempre pensé que era homosexual aunque nunca llegamos a hablarlo. Pero él era diferente, era femenino, ¿entiende? Era la víctima propicia. En el fondo no se le puede culpar a Carlos. Fierro se lo buscaba. Hasta se excitó mientras le atábamos...

—¿Se excitó?

—Sí. Era masoca, todos lo sabíamos. Me acuerdo de que en el colegio nos pedía que le pegáramos. Le encantaba provocar. Una vez, Carlos y yo le cogimos por los pies y estuvimos a punto de dejarle caer por el hueco de la escalera. Y Fierro se reía. No se dio nunca cuenta de lo cerca que estuvo de que le pasara algo. Luego nos dio la coña durante varias semanas para que lo repitiéramos...

—¿Fierro era también del grupo?

—Sí. Nos conocíamos todos del colegio. Fuimos juntos al Liceo Francés.

—¿Y Carlos?

—Carlos también era del grupo, pero iba un poco por libre, sobre todo con las tías. Siempre se buscaba líos raros. Ahora volverá a Madrid. No sé lo que va a pasar. Supongo que llamará, pero yo no puedo verle después de lo que ha pasado. Al menos, no como antes.

—No tienes por qué.

—Es parte del grupo. Vamos con la misma gente. La verdad es que todavía no he hablado con los otros. Es decir, en profundidad. Me da rabia porque es como si no hubiera pasado nada. Nadie quiere hablar del tema, a nadie parece haberle afectado demasiado. En el funeral estuvieron todos: Miguel, Pedro, David, Guille. Incluso el camarero del Kronen, que no pintaba nada.

—¿Es amigo vuestro?

—Bueno, sí. Le conocemos de ir al Kronen. Nos pasa coca, pero no es uno de los nuestros, no es del grupo.

—Ya.

—Los del grupo lo sabían todos, incluso David y Guille, que habían venido para la ocasión. Era como un pacto mudo uniéndonos. Nadie cambió la versión que habíamos acordado. Dijimos que estábamos en la fiesta y que Fierro, extraordinariamente, porque era su cumpleaños, se emborrachó como todos. Nadie dijo nada de los tripis. Yo limpié el embudo y lo dejé en su sitio. Nadie sospechó nada. Y los padres de Fierro estuvieron encantadores, para agravar las cosas. Yo no podía dejar de sentirme culpable, era increíble lo mal que me sentía...

—Sigue.

—He intentado convencerme de que ha sido un accidente, de que no he sido yo, de que fue Carlos, pero el sentimiento de culpabilidad no me abandona. Sé que es estúpido, pero tengo la impresión de que Fierro ha sido la víctima de nuestros jueguecitos mentales. Matar a alguien era una idea que Carlos tenía metida en la cabeza desde hacía tiempo. Aquello le excitaba y no dejaba de darme la coña. Sobre todo después de leer Americansaico.

—¿Eso qué es?

—Un libro. Un libro cojonudo. La única novela que Carlos soportaba. Me influenció mucho en una época. Bueno, nos influenció a todos. Todo aquel rollo que llevábamos nos embruteció tanto que a nadie le pareció rara la idea de Carlos. Yo creo que si Carlos nos hubiera propuesto matarle, tampoco nos hubiera extrañado nada. Creo que lo hubiéramos hecho. Siempre hablábamos de darle una paliza un día, aunque nunca lo hacíamos. No sé, el rollo era mental más que real. Pero el resultado es el mismo: hay un muerto.

—Roberto, ¿estás seguro de que quieres seguir contándome esto?

—Imagínese que es una novela, o una mala película... Eso era lo que Carlos decía siempre: que la vida era como una mala película. Le encantaba el cine...

—Creo que ya ha terminado la hora, Roberto...

—Nos veía a todos como si fuéramos personajes de una película, de su película. Pero él era como si no estuviera ahí. No le gustaba vincularse afectivamente...

—Roberto. No tienes que hablar tanto de Carlos. Tienes que centrarte más en ti y borrar su influencia, que ha sido claramente negativa.

—Sí, sí. Perdone.

—Vamos a tener que terminar, Roberto.

—Sí, sí. ¿Nos vemos la semana que viene?

—El mismo día, a la misma hora.

—Ya le contaré si le veo. Creo que Carlos vuelve el lunes a Madrid. Seguramente le veré en el Kronen.

—No quiero presionarte, Roberto, pero no creo que sea una buena influencia para ti.

—No sé cómo voy a reaccionar al verle.